◢ Schöningh

EinFach
Deuts

D1273237

Gotthold Ephraim Lessing

Nathan der Weise
Ein dramatisches Gedicht
in fünf Aufzügen

Bearbeitet und
herausgegeben von
Johannes Diekhans

© 1998 Ferdinand Schöningh, Paderborn

© ab 2004 Bildungshaus Schulbuchverlage
Westermann Schroedel Diesterweg Schöningh Winklers GmbH
Braunschweig, Paderborn, Darmstadt

www.schoeningh-schulbuch.de
Schöningh Verlag, Jühenplatz 1–3, 33098 Paderborn

Druck 14 13 12 / Jahr 2011 10 09
Die letzte Zahl bezeichnet das Jahr dieses Druckes.

Umschlaggestaltung: Jennifer Kirchhof
Druck und Bindung: Friedrich Pustet, Regensburg

ISBN 978-3-14-022287-7

Gotthold Ephraim Lessing: Nathan der Weise

4

Introite, nam et heic Dii sunt.[1]
Apud Gellium.

Personen:

SULTAN SALADIN
SITTAH, dessen Schwester
NATHAN, ein reicher Jude in Jerusalem
RECHA, dessen angenommene Tochter
DAJA, eine Christin, aber in dem Hause des Juden, als Gesell-
    schafterin der Recha
Ein junger TEMPELHERR
Ein DERWISCH
Der PATRIARCH von Jerusalem
Ein KLOSTERBRUDER
Ein EMIR nebst verschiednen Mamelucken des Saladin

Die Szene ist in Jerusalem.

---

[1] Tretet ein, denn auch hier sind Götter. Bei Gellius. Gellius war
    römischer Schriftsteller (2. Jahrh. n. Chr.), der zu verschiedensten
    Themen schrieb und aus Schriften des Altertums zitierte. Das von
    Lessing als Motto gewählte Zitat wird dem griechischen Philo-
    sophen Heraklit (ca. 550–480 v. Chr.) zugeschrieben.

Erster Aufzug

Erster Auftritt

Szene: Flur in Nathans Hause
Nathan von der Reise kommend. Daja, ihm entgegen

DAJA: Er ist es! Nathan! – Gott sei ewig Dank,
Dass Ihr doch endlich einmal wiederkommt.
NATHAN: Ja, Daja, Gott sei Dank! Doch warum e n d l i c h?
Hab ich denn eher wiederkommen wollen?
5   Und wiederkommen können? Babylon
Ist von Jerusalem, wie ich den Weg
Seitab bald rechts, bald links, zu nehmen bin
Genötigt worden, gut zweihundert Meilen;
Und Schulden einkassieren ist gewiss
10   Auch kein Geschäft, das merklich födert[1], das
So von der Hand sich schlagen lässt[2].
DAJA: O Nathan,
Wie elend, elend hättet Ihr indes
Hier werden können! Euer Haus ...
NATHAN: Das brannte.
So hab ich schon vernommen. – Gebe Gott,
15   Dass ich nur alles schon vernommen habe!
DAJA: Und wäre leicht von Grund aus abgebrannt.
NATHAN: Dann, Daja, hätten wir ein neues uns
Gebaut und ein bequemeres.
DAJA: Schon wahr! –
Doch R e c h a wär bei einem Haare mit
Verbrannt.
20 NATHAN: Verbrannt? Wer? meine Recha? sie? –
Das hab ich nicht gehört. – Nun dann! So hätte
Ich keines Hauses mehr bedurft. – Verbrannt
Bei einem Haare! – Ha! sie ist es wohl!
Ist wirklich wohl verbrannt! – Sag nur heraus!
25   Heraus nur! Töte mich! und martre mich
Nicht länger! – Ja, sie ist verbrannt.

---

[1] vorangeht
[2] schnell erledigen

DAJA: Wenn sie
　　Es wäre, würdet Ihr von mir es hören?
NATHAN: Warum erschreckest du mich denn? – O Recha!
　　O meine Recha!
DAJA: Eure? Eure Recha?
30 NATHAN: Wenn ich mich wieder je entwöhnen müsste,
　　Dies Kind mein Kind zu nennen!
DAJA: Nennt Ihr alles,
　　Was Ihr besitzt, mit eben so viel Rechte
　　Das Eure?
NATHAN: Nichts mit größerm! Alles, was
　　Ich sonst besitze, hat Natur und Glück
35　　Mir zugeteilt. Dies Eigentum allein
　　Dank ich der Tugend.
DAJA: O, wie teuer lasst
　　Ihr Eure Güte, Nathan, mich bezahlen!
　　Wenn Güt', in solcher Absicht ausgeübt,
　　Noch Güte heißen kann!
NATHAN: In solcher Absicht?
40　　In welcher?
DAJA: Mein Gewissen …
NATHAN: Daja, lass,
　　Vor allen Dingen dir erzählen …
DAJA: Mein
　　Gewissen, sag ich …
NATHAN: Was in Babylon
　　Für einen schönen Stoff ich dir gekauft.
　　So reich und mit Geschmack so reich! Ich bringe
45　　Für Recha selbst kaum einen schönern mit.
DAJA: Was hilft's? Denn mein Gewissen, muss ich Euch
　　Nur sagen, lässt sich länger nicht betäuben.
NATHAN: Und wie die Spangen, wie die Ohrgehenke,
　　Wie Ring und Kette dir gefallen werden,
50　　Die in Damaskus ich dir ausgesucht,
　　Verlanget mich zu sehn.
DAJA: So seid Ihr nun!
　　Wenn Ihr nur schenken könnt! nur schenken könnt!
NATHAN: Nimm du so gern, als ich dir geb: – und schweig!
DAJA: Und schweig! – Wer zweifelt, Nathan, dass Ihr nicht
55　　Die Ehrlichkeit, die Großmut selber seid?

Und doch ...

NATHAN: Doch bin ich nur ein Jude. – Gelt,
Das willst du sagen?

DAJA: Was ich sagen will,
Das wisst Ihr besser.

NATHAN: Nun, so schweig!

DAJA: Ich schweige.
Was Sträfliches vor Gott hierbei geschieht
60 Und ich nicht hindern kann, nicht ändern kann –
Nicht kann, – komm über Euch!

NATHAN: Komm über mich! –
Wo aber ist sie denn? Wo bleibt sie? – Daja,
Wenn du mich hintergehst! – Weiß sie es denn,
Dass ich gekommen bin?

DAJA: Das frag' ich Euch!
65 Noch zittert ihr der Schreck durch jede Nerve,
Noch malet Feuer ihre Fantasie
Zu allem, was sie malt. Im Schlafe wacht,
Im Wachen schläft ihr Geist: bald weniger
Als Tier, bald mehr als Engel.

NATHAN: Armes Kind!
Was sind wir Menschen!

70 DAJA: Diesen Morgen lag
Sie lange mit verschlossnem Aug und war
Wie tot. Schnell fuhr sie auf und rief: „Horch! horch!
Da kommen die Kamele meines Vaters!
Horch! seine sanfte Stimme selbst!" – Indem
75 Brach sich ihr Auge wieder: und ihr Haupt
Dem seines Armes Stütze sich entzog,
Stürzt' auf das Küssen. – Ich, zur Pfort' hinaus!
Und sieh: da kommt Ihr wahrlich! kommt Ihr wahrlich! –
Was Wunder! Ihre ganze Seele war
Die Zeit her nur bei Euch – und ihm. –

80 NATHAN: Bei ihm?
Bei welchem Ihm?

DAJA: Bei ihm, der aus dem Feuer
Sie rettete.

NATHAN: Wer war das? wer? – Wo ist er?
Wer rettete mir meine Recha? Wer?

DAJA: Ein junger Tempelherr, den, wenig Tage

85   Zuvor, man hier gefangen eingebracht
     Und Saladin begnadigt hatte.
NATHAN: Wie?
     Ein Tempelherr, dem Sultan Saladin
     Das Leben ließ? Durch ein geringres Wunder
     War Recha nicht zu retten? Gott!
DAJA: Ohn' ihn,
90   Der seinen unvermuteten Gewinn
     Frisch wieder wagte, war es aus mit ihr.
NATHAN: Wo ist er, Daja, dieser edle Mann? –
     Wo ist er? Führe mich zu seinen Füßen.
     Ihr gabt ihm doch vors Erste, was an Schätzen
95   Ich euch gelassen hatte, gabt ihm alles?
     Verspracht ihm mehr? weit mehr:
DAJA: Wie konnten wir?
NATHAN: Nicht? nicht?
DAJA: Er kam, und niemand weiß, woher.
     Er ging, und niemand weiß, wohin. – Ohn alle
     Des Hauses Kundschaft[1], nur von seinem Ohr
100 Geleitet, drang, mit vorgespreiztem Mantel,
     Er kühn durch Flamm und Rauch der Stimme nach,
     Die uns um Hilfe rief. Schon hielten wir
     Ihn für verloren, als aus Rauch und Flamme
     Mit eins[2] er vor uns stand, im starken Arm
105 Empor sie tragend. Kalt und ungerührt
     Vom Jauchzen unsers Danks, setzt seine Beute
     Er nieder, drängt sich unters Volk und ist –
     Verschwunden!
NATHAN: Nicht auf immer, will ich hoffen.
DAJA: Nachher die ersten Tage sahen wir
110 Ihn unter Palmen auf und nieder wandeln,
     Die dort des Auferstandnen Grab[3] umschatten.
     Ich nahte mich ihm mit Entzücken, dankte,
     Erhob, entbot, beschwor, – nur einmal noch
     Die fromme Kreatur zu sehen, die

---

[1] Kenntnis, Wissen
[2] auf einmal
[3] Christi Grab in der Nähe von Jerusalem

115 Nicht ruhen könne, bis sie ihren Dank
Zu seinen Füßen ausgeweinet.
NATHAN: Nun?
DAJA: Umsonst! Er war zu unsrer Bitte taub;
Und goss so bittern Spott auf mich besonders ...
NATHAN: Bis dadurch abgeschreckt ...
DAJA: Nichts weniger!
120 Ich trat ihn jeden Tag von neuem an,
Ließ jeden Tag von neuem mich verhöhnen.
Was litt ich nicht von ihm! Was hätt ich nicht
Noch gern ertragen! – Aber lange schon
Kommt er nicht mehr, die Palmen zu besuchen,
125 Die unsers Auferstandnen Grab umschatten,
Und niemand weiß, wo er geblieben ist. –
Ihr staunt? Ihr sinnt?
NATHAN: Ich überdenke mir,
Was das auf einen Geist wie Rechas wohl
Für Eindruck machen muss. Sich so verschmäht
130 Von dem zu finden, den man hochzuschätzen
Sich so gezwungen fühlt, so weggestoßen
Und doch so angezogen werden; – Traun[1],
Da müssen Herz und Kopf sich lange zanken,
Ob Menschenhass, ob Schwermut siegen soll.
135 Oft siegt auch keines, und die Fantasie,
Die in den Streit sich mengt, macht Schwärmer,
Bei welchen bald der Kopf das Herz und bald
Das Herz den Kopf muss spielen. – Schlimmer Tausch! –
Das Letztere, verkenn ich Recha nicht,
Ist Rechas Fall: sie schwärmt.
140 DAJA: Allein so fromm,
So liebenswürdig!
NATHAN: Ist doch auch geschwärmt!
DAJA: Vornehmlich e i n e – Grille[2], wenn Ihr wollt,
Ist ihr sehr wert. Es sei ihr Tempelherr
Kein Irdischer und keines Irdischen;
145 Der Engel einer, deren Schutze sich
Ihr kleines Herz von Kindheit auf so gern

---

[1] wahrhaftig, fürwahr
[2] fixe Idee, merkwürdiger Einfall

Vertrauet glaubte, sei aus seiner Wolke,
In die er sonst verhüllt, auch noch im Feuer,
Um sie geschwebt, mit eins als Tempelherr
150 Hervorgetreten. – Lächelt nicht! – Wer weiß?
Lasst lächelnd wenigstens ihr einen Wahn,
In dem sich Jud' und Christ und Muselmann[1]
Vereinigen, – so einen süßen Wahn!
NATHAN: Auch mir so süß! – Geh, wackre Daja, geh!
155 Sieh, was sie macht, ob ich sie sprechen kann. –
Sodann such ich den wilden, launigen
Schutzengel auf. Und wenn ihm noch beliebt,
Hienieden[2] unter uns zu wallen[3], noch
Beliebt, so ungesittet Ritterschaft
160 Zu treiben: find ich ihn gewiss; und bring
Ihn her.
DAJA: Ihr unternehmet viel.
NATHAN: Macht dann
Der süße Wahn der süßern Wahrheit Platz: –
Denn, Daja, glaube mir, dem Menschen ist
Ein Mensch noch immer lieber als ein Engel –
165 So wirst du doch auf mich, auf mich nicht zürnen,
Die Engelschwärmerin geheilt zu sehn?
DAJA: Ihr seid so gut und seid zugleich so schlimm!
Ich geh! – Doch hört! Doch seht! – Da kommt sie selbst.

Zweiter Auftritt

Recha und die Vorigen

RECHA: So seid Ihr es doch ganz und gar, Vater?
170 Ich glaubt', Ihr hättet Eure Stimme nur
Vorausgeschickt. Wo bleibt Ihr? Was für Berge,
Für Wüsten, was für Ströme trennten uns
Denn noch? Ihr atmet Wand an Wand mit ihr
Und eilt nicht, Eure Recha zu umarmen?

---

[1] volkstümlich für: Muslim, Mohammedaner, Anhänger des Islam
[2] hier
[3] wandern, wallfahren

175 Die arme Recha, die indes verbrannte! –
Fast, fast verbrannte! Fast nur. Schaudert nicht!
Es ist ein garst'ger Tod, verbrennen. O!
NATHAN: Mein Kind! mein liebes Kind!
RECHA: Ihr musstet über
Den Euphrat, Tigris, Jordan, über – wer
180 Weiß, was für Wasser all? – Wie oft hab ich
Um Euch gezittert, eh das Feuer mir
So nahe kam! Denn seit das Feuer mir
So nahe kam, dünkt mich im Wasser sterben
Erquickung, Labsal, Rettung. – Doch Ihr seid
185 Ja nicht ertrunken; ich, ich bin ja nicht
Verbrannt. Wie wollen wir uns freun und Gott,
Gott loben! Er, er trug euch und den Nachen
Auf Flügeln seiner u n s i c h t b a r e n Engel
Die ungetreuen Ström' hinüber. Er,
190 Er winkte meinem Engel, dass er s i c h t b a r
Auf seinem weißen Fittiche mich durch
Das Feuer trüge –
NATHAN: (Weißem Fittiche!
Ja, ja! der weiße vorgespreizte Mantel
Des Tempelherrn.)
RECHA: Er sichtbar, sichtbar mich
195 Durchs Feuer trüg', von seinem Fittiche
Verweht. – Ich also, ich hab einen Engel
Von Angesicht zu Angesicht gesehn,
Und m e i n e n Engel.
NATHAN: Recha wär es wert;
Und würd an ihm nichts Schönres sehn als er
An ihr.
200 RECHA: (lächelnd) Wem schmeichelt Ihr, mein Vater? wem?
Dem Engel oder Euch?
NATHAN: Doch hätt auch nur
Ein Mensch, – ein Mensch, wie die Natur sie täglich
Gewährt, dir diesen Dienst erzeigt; er müsste
Für dich ein Engel sein. Er müsst und würde.
205 RECHA: Nicht so ein Engel, nein! ein wirklicher,
Es war gewiss ein wirklicher! – Habt Ihr,
Ihr selbst die Möglichkeit, dass Engel sind,
Dass Gott zum Besten derer, die ihn lieben,

Auch Wunder könne tun, mich nicht gelehrt?
Ich lieb ihn ja.

210 NATHAN: Und er liebt dich und tut
Für dich und deinesgleichen stündlich Wunder.
Ja, hat sie schon von aller Ewigkeit
Für Euch getan.

RECHA: Das hör ich gern.

NATHAN: Wie? weil
Es ganz natürlich, ganz alltäglich klänge,
215 Wenn dich ein eigentlicher Tempelherr
Gerettet hätte: sollt es darum weniger
Ein Wunder sein? – Der Wunder höchstes ist,
Dass uns die wahren, echten Wunder so
Alltäglich werden können, werden sollen.
220 Ohn' dieses allgemeine Wunder hätte
Ein Denkender wohl schwerlich Wunder je
Genannt, was Kindern bloß so heißen müsste,
Die gaffend nur das Ungewöhnlichste,
Das Neuste nur verfolgen.

DAJA: *(zu Nathan)*   Wollt Ihr denn
225 Ihr ohnedem schon überspanntes Hirn
Durch solcherlei Subtilitäten[1] ganz
Zersprengen?

NATHAN: Lass mich! – Meiner Recha wär
Es Wunders nicht genug, dass sie ein M e n s c h
Gerettet, welchen selbst kein kleines Wunder
230 Erst retten müssen? Ja, kein kleines Wunder!
Denn wer hat schon gehört, dass Saladin
Je eines Tempelherrn verschont? dass je
Ein Tempelherr von ihm verschont zu werden
Verlangt? gehofft? ihm je für seine Freiheit
235 Mehr als den ledern Gurt geboten, der
Sein Eisen schleppt, und höchstens seinen Dolch?[2]

RECHA: Das schließt für mich, mein Vater. – Darum eben
War das kein Tempelherr; er schien es nur. –

---

[1] Spitzfindigkeiten
[2] Gefangene Tempelherrn konnten für ihre Freilassung nur ihren Le-
     dergurt und ihren Dolch anbieten, hatten demnach keine Chance
     sich freizukaufen.

Kömmt kein gefangner Tempelherr je anders
240 Als zum gewissen Tode nach Jerusalem
Geht keiner in Jerusalem so frei
Umher: wie hätte mich des Nachts freiwillig
Denn einer retten können?

NATHAN: Sieh, wie sinnreich!
Jetzt, Daja, nimm das Wort. Ich hab es ja
245 Von dir, dass er gefangen hergeschickt
Ist worden. Ohne Zweifel weißt du mehr.

DAJA: Nun ja. – So sagt man freilich – doch man sagt
Zugleich, dass Saladin den Tempelherrn
Begnadigt, weil er seiner Brüder einem,
250 Den er besonders lieb gehabt, so ähnlich sehe.
Doch da es viele zwanzig Jahre her,
Dass dieser Bruder nicht mehr lebt – er hieß,
Ich weiß nicht, wie –, er blieb, ich weiß nicht, wo: –
So klingt das ja so gar – so gar unglaublich,
255 Dass an der ganzen Sache wohl nichts ist.

NATHAN: Ei, Daja! Warum wäre denn das so
Unglaublich? Doch wohl nicht – wie's wohl geschieht –,
Um lieber etwas noch Unglaublichers
Zu glauben? – Warum hätte Saladin,
260 Der sein Geschwister insgesamt so liebt,
In jüngern Jahren einen Bruder nicht
Noch ganz besonders lieben können? – Pflegen
Sich zwei Gesichter nicht zu ähneln? – Ist
Ein alter Eindruck ein verlorner? – Wirkt
265 Das Nämliche nicht mehr das Nämliche? –
Seit wenn[1]? – Wo steckt hier das Unglaubliche? –
Ei freilich, weise Daja, wär's für dich
Kein Wunder mehr; und d e i n e Wunder nur
Bedürf ... verdienen, will ich sagen, Glauben.

DAJA: Ihr spottet.

270 NATHAN: Weil du meiner spottest. – Doch
Auch so noch, Recha, bleibet deine Rettung
Ein Wunder, dem nur möglich, der die strengsten
Entschlüsse, die unbändigsten Entwürfe

---

[1] hier: wann

Der Könige, sein Spiel – wenn nicht sein Spott –
Gern an den schwächsten Fäden lenkt.

275 RECHA: Mein Vater!
Mein Vater, wenn ich irr, Ihr wisst, ich irre
Nicht gern.

NATHAN: Vielmehr, du lässt dich gern belehren. –
Sieh! Eine Stirn, so oder so gewölbt,
Der Rücken einer Nase, so vielmehr
280 Als so geführet, Augenbraunen, die
Auf einem scharfen oder stumpfen Knochen
So oder so sich schlängeln, eine Linie,
Ein Bug[1], ein Winkel, eine Falt', ein Mal,
Ein Nichts auf eines wilden Europäers
285 Gesicht: – und du entkömmst dem Feu'r, in Asien!
D a s wär kein Wunder, wundersücht'ges Volk?
Warum bemüht ihr denn noch einen Engel?

DAJA: Was schadet's – Nathan, wenn ich sprechen darf –
Bei alledem, von einem Engel lieber
290 Als einem Menschen sich gerettet denken?
Fühlt man der ersten unbegreiflichen
Ursache seiner Rettung nicht sich so
Viel näher?

NATHAN: Stolz! und nichts als Stolz! Der Topf
Von Eisen will mit einer silbern Zange
295 Gern aus der Glut gehoben sein, um selbst
Ein Topf von Silber sich zu dünken. – Pah! –
Und was es schadet, fragst du, was es schadet?
Was hilft es? dürft ich nur hinwieder fragen. –
Denn dein „Sich Gott um so viel näher fühlen"
300 Ist Unsinn oder Gotteslästerung. –
Allein, es schadet; ja, es schadet allerdings. –
Kommt! hört mir zu. – Nicht wahr? dem Wesen, das
Dich rettete – es sei ein Engel oder
Ein Mensch –, dem möchtet ihr, und du besonders,
305 Gern wieder viele große Dienste tun? –
Nicht wahr? – Nun, einem Engel, was für Dienste,
Für große Dienste könnt ihr dem wohl tun?

---

[1] Biegung, Krümmung

Ihr könnt ihm danken, zu ihm seufzen, beten,
Könnt in Entzückung über ihn zerschmelzen,
310 Könnt an dem Tage seiner Feier[1] fasten,
Almosen spenden. – Alles nichts. – Denn mich
Deucht[2] immer, dass ihr selbst und euer Nächster
Hierbei weit mehr gewinnt als er. Er wird
Nicht fett durch euer Fasten, wird nicht reich
315 Durch eure Spenden, wird nicht herrlicher
Durch eu'r Entzücken, wird nicht mächtiger
Durch eu'r Vertraun. Nicht wahr? Allein ein Mensch!

DAJA: Ei freilich hätt ein Mensch, etwas für ihn
Zu tun, uns mehr Gelegenheit verschafft.
320 Und Gott weiß, wie bereit wir dazu waren!
Allein er wollte ja, bedurfte ja
So völlig nichts, war in sich, mit sich so
Vergnügsam, als nur Engel sind, nur Engel
Sein können.

RECHA: Endlich, als er gar verschwand ...

NATHAN: Verschwand? – Wie denn verschwand? – Sich untern
325 Palmen
Nicht ferner sehen ließ? – Wie? oder habt
Ihr wirklich schon ihn weiter aufgesucht?

DAJA: Das nun wohl nicht.

NATHAN: Nicht, Daja? nicht? – Da sieh
Nun, was es schad't! – Grausame Schwärmerinnen! –
330 Wenn dieser Engel nun – nun krank geworden! ...

RECHA: Krank!

DAJA: Krank! Er wird doch nicht!

RECHA: Welch kalter Schauer
Befällt mich! – Daja! – Meine Stirne, sonst
So warm, fühl! ist auf einmal Eis.

NATHAN: Er ist
Ein Franke[3], dieses Klimas ungewohnt,
335 Ist jung, der harten Arbeit seines Standes,
Des Hungers, Wachens ungewohnt.

RECHA: Krank! krank!

---

[1] an seinem Namenstag
[2] ich denke, mir scheint
[3] im Orient Bezeichnung für Europäer

DAJA: Das wäre möglich, meint ja Nathan nur.

NATHAN: Nun liegt er da! hat weder Freund noch Geld
Sich Freunde zu besolden.

RECHA: Ah, mein Vater!

340 NATHAN: Liegt ohne Wartung, ohne Rat und Zusprach,
Ein Raub der Schmerzen und des Todes da!

RECHA: Wo? wo?

NATHAN: Er, der für eine, die er nie
Gekannt, gesehn – genug, es war ein Mensch –
Ins Feu'r sich stürzte ...

DAJA: Nathan, schonet ihrer!

345 NATHAN: Der, was er rettete, nicht näher kennen,
Nicht weiter sehen mocht, um ihm den Dank
Zu sparen ...

DAJA: Schonet ihrer, Nathan!

NATHAN: Weiter
Auch nicht zu sehn verlangt – es wäre denn,
Dass er zum zweiten Mal es retten sollte –,

350 Denn g'nug, es ist ein Mensch ...

DAJA: Hört auf und seht!

NATHAN: Der, der hat sterbend, sich zu laben, nichts –
Als das Bewusstsein dieser Tat!

DAJA: Hört auf!
Ihr tötet sie!

NATHAN: Und du hast ihn getötet! –
Hätt'st so ihn töten können. – Recha! Recha!

355 Es ist Arznei, nicht Gift, was ich dir reiche.
Er lebt! Komm zu dir! – Ist auch wohl nicht krank,
Nicht einmal krank!

RECHA: Gewiss? – nicht tot? Nicht krank?

NATHAN: Gewiss, nicht tot! Denn Gott lohnt Gutes, hier
Getan, auch hier noch. – Geh! – Begreifst du aber,

360 Wie viel a n d ä c h t i g s c h w ä r m e n leichter als
G u t h a n d e l n ist? Wie gern der schlaffste Mensch
Andächtig schwärmt, um nur – ist er zuzeiten
Sich schon der Absicht deutlich nicht bewusst –,
Um nur gut handeln nicht zu dürfen?

RECHA: Ah,

365 Mein Vater!, lasst Eure Recha doch
Nie wiederum allein! – Nicht wahr, er kann

Auch wohl verreist nur sein? –

NATHAN: Geh! – Allerdings. –
Ich seh, dort mustert mit neugier'gem Blick
Ein Muselmann mir die beladenen
370 Kamele. Kennt ihr ihn?

DAJA: Ha! Euer Derwisch[1].

NATHAN: Wer?

DAJA: Euer Derwisch, Euer Schachgesell!

NATHAN: Al-Hafi? das Al-Hafi?

DAJA: Itzt[2] des Sultans
Schatzmeister.

NATHAN: Wie Al-Hafi? Träumst du wieder? –
Er ist's – wahrhaftig ist's – kömmt auf uns zu.
375 Hinein mit Euch, geschwind![3] – Was werd ich hören!

Dritter Auftritt

Nathan und der Derwisch

DERWISCH: Reißt nur die Augen auf, so weit Ihr könnt!

NATHAN: Bist du's? bist du es nicht? – In dieser Pracht,
Ein Derwisch! …

DERWISCH: Nun? warum denn nicht? Lässt sich
Aus einem Derwisch denn nichts, gar nichts machen?

380 NATHAN: Ei wohl, genug! – Ich dachte mir nur immer,
Der Derwisch – so der rechte Derwisch – woll'
Aus sich nichts machen lassen.

DERWISCH: Beim Propheten!
Dass ich kein rechter bin, mag auch wohl wahr sein.
Zwar wenn man muss –

385 NATHAN: Muss! Derwisch! – Derwisch muss?
Kein Mensch muss müssen, und ein Derwisch müsste?
Was müsst er denn?

DERWISCH: Warum man ihn recht bittet,
Und er für gut erkennt, das muss ein Derwisch.

---

[1] mohammedanischer Bettelmönch
[2] jetzt
[3] Al-Hafi (dt.: der Barfüßer) darf als strenger Moslem keine unver-
    schleierten Frauen sehen.

NATHAN: Bei unserm Gott! Da sagst du wahr. – Lass dich
    Umarmen, Mensch! – Du bist doch noch mein Freund?
90 DERWISCH: Und fragt nicht erst, was ich geworden bin?
NATHAN: Trotz dem, was du geworden!
DERWISCH: Könnt ich nicht
    Ein Kerl im Staat geworden sein, des Freundschaft
    Euch ungelegen wäre?
NATHAN: Wenn dein Herz
    Noch Derwisch ist, so wag ich's drauf. Der Kerl
95   Im Staat ist nur dein Kleid.
DERWISCH: Das auch geehrt
    Will sein. – Was meint Ihr? ratet! – Was wär ich
    An Eurem Hofe?
NATHAN: Derwisch, weiter nichts.
    Doch nebenher, wahrscheinlich – Koch.
DERWISCH: Nun ja!
    Mein Handwerk bei Euch zu verlernen. – Koch!
100   Nicht Kellner[1] auch? Gesteht, dass Saladin
    Mich besser kennt. – Schatzmeister bin ich bei
    Ihm geworden.
NATHAN: Du? – bei ihm?
DERWISCH: Versteht:
    Des kleinern Schatzes; – denn des größern waltet
    Sein Vater noch – des Schatzes für sein Haus.
105 NATHAN: Sein Haus ist groß.
DERWISCH: Und größer, als Ihr glaubt;
    Denn jeder Bettler ist von seinem Hause[2].
NATHAN: Doch ist den Bettlern Saladin so feind –
DERWISCH: Dass er mit Strumpf und Stiel sie zu vertilgen
    Sich vorgesetzt, – und sollt er selbst darüber
110   Zum Bettler werden.
NATHAN: Brav! So mein ich's eben.
DERWISCH: Er ist's auch schon, trotz einem! – Denn sein Schatz
    Ist jeden Tag mit Sonnenuntergang
    Viel leerer noch als leer. Die Flut, so hoch
    Sie morgens eintritt, ist des Mittags längst
    Verlaufen –

---

[1] Kellermeister
[2] … wird als Hausangehöriger angesehen und so behandelt

415 NATHAN: Weil Kanäle sie zum Teil
       Verschlingen, die zu füllen oder zu
       Verstopfen gleich unmöglich ist.
    DERWISCH: Getroffen!
    NATHAN: Ich kenne das!
    DERWISCH: Es taugt nun freilich nichts,
       Wenn Fürsten Geier unter Äsern[1] sind.
420   Doch, sind sie Äser unter Geiern, taugt's
       Noch zehnmal weniger.
    NATHAN: O nicht doch, Derwisch!
       Nicht doch!
    DERWISCH: Ihr habt gut reden, Ihr! Kommt an:
       Was gebt Ihr mir? so tret ich meine Stell'
       Euch ab.
    NATHAN: Was bringt dir meine Stelle?
    DERWISCH: Mir?
425   Nicht viel. Doch Euch, Euch kann sie trefflich wuchern[2].
       Denn ist es Ebb' im Schatz – wie öfters ist –,
       So zieht Ihr Eure Schleusen auf: schießt vor
       Und nehmt an Zinsen, was Euch nur gefällt.
    NATHAN: Auch Zins vom Zins der Zinsen?
    DERWISCH: Freilich!
    NATHAN: Bis
430   Mein Kapital zu lauter Zinsen wird.
    DERWISCH: Das lockt Euch nicht? – So schreibet unsrer
                                           Freundschaft
       Nur gleich den Scheidebrief! Denn wahrlich hab
       Ich sehr auf Euch gerechnet.
    NATHAN: Wahrlich? Wie
       Denn so? wieso denn?
    DERWISCH: Dass Ihr mir mein Amt
435   Mit Ehren würdet führen helfen; dass
       Ich allzeit offne Kasse bei Euch hätte. –
       Ihr schüttelt?
    NATHAN: Nun, verstehn wir uns nur recht!
       Hier gibt's zu unterscheiden. – Du? warum
       Nicht du? Al-Hafi Derwisch ist zu allem,

---

[1] Pluralform von Aas
[2] Gewinn bringen

440   Was ich vermag, mir stets willkommen. – Aber
    Al-Hafi Defterdar[1] des Saladin,
    Der – dem –
DERWISCH: Erriet ich's nicht? Dass Ihr doch immer
    So gut als klug, so klug als weise seid! –
    Geduld! Was Ihr am Hafi unterscheidet[2],
445   Soll bald geschieden wieder sein. – Seht da,
    Das Ehrenkleid, das Saladin mir gab.
    Eh es verschossen ist, eh es zu Lumpen
    Geworden, wie sie einen Derwisch kleiden,
    Hängt's in Jerusalem am Nagel, und
450   Ich bin am Ganges[3], wo ich leicht und barfuß
    Den heißen Sand mit meinen Lehrern trete.
NATHAN: Dir ähnlich g'nug!
DERWISCH: Und Schach mit ihnen spiele.
NATHAN: Dein höchstes Gut!
DERWISCH: Denkt nur, was mich verführte! –
    Damit ich selbst nicht länger betteln dürfte?
455   Den reichen Mann mit Bettlern spielen könnte?
    Vermögend wär, im Hui den reichsten Bettler
    In einen armen Reichen zu verwandeln?
NATHAN: Das nun wohl nicht.
DERWISCH: Weit etwas Abgeschmackters!
460   Ich fühlte mich zum ersten Mal geschmeichelt,
    Durch Saladins gutherz'gen Wahn geschmeichelt –
NATHAN: Der war?
DERWISCH: „Ein Bettler wisse nur, wie Bettlern
    Zumute sei; ein Bettler habe nur
    Gelernt, mit guter Weise Bettlern geben.
    Dein Vorfahr[4], sprach er, war mir viel zu kalt,
465   Zu rau. Er gab so unhold[5], wenn er gab;
    Erkundigte so ungestüm sich erst
    Nach dem Empfänger; nie zufrieden, dass
    Er nur den Mangel kenne, wollt er auch

---

[1] Schatzmeister
[2] gemeint ist seine Rolle als Bettelmönch und als Schatzmeister
[3] Fluss in Indien, Al-Hafi wird als Derwisch von Lessing mit den brahmanischen Büßern Indiens gleichgesetzt.
[4] Vorgänger
[5] zurückhaltend, ungnädig

Des Mangels Ursach wissen, um die Gabe
470 Nach dieser Ursach filzig¹ abzuwägen.
Das wird Al-Hafi nicht! So unmild mild
Wird Saladin im Hafi nicht erscheinen!
Al-Hafi gleicht verstopften Röhren nicht,
Die ihre klar und still empfangnen Wasser
475 So unrein und so sprudelnd wiedergeben.
Al-Hafi denkt, Al-Hafi fühlt wie ich!" –
So lieblich klang des Voglers² Pfeife, bis
Der Gimpel³ in dem Netze war. – Ich Geck!⁴
Ich eines Gecken Geck!

NATHAN: Gemach⁵, mein Derwisch,
Gemach!

480 DERWISCH: Ei was! – Es wär nicht Geckerei,
Bei Hunderttausenden die Menschen drücken,
Ausmergeln, plündern, martern, würgen; und
Ein Menschenfreund an Einzeln scheinen wollen?
Es wär' nicht Geckerei, des Höchsten Milde,
485 Die sonder⁶ Auswahl über Bös' und Gute
Und Flur und Wüstenei in Sonnenschein
Und Regen sich verbreitet, – nachzuäffen
Und nicht des Höchsten immer volle Hand
Zu haben? Was? es wär nicht Geckerei ...

NATHAN: Genug! hör auf!

490 DERWISCH: Lasst m e i n e r Geckerei
Mich doch nur auch erwähnen! – Was? es wäre
Nicht Geckerei, an solchen Geckereien
Die gute Seite dennoch aufzuspüren,
Um Anteil, dieser guten Seite wegen,
495 An dieser Geckerei zu nehmen? He?
Das nicht?

NATHAN: Al-Hafi, mache, dass du bald
In deine Wüste wieder kömmst. Ich fürchte,

---

¹ geizig
² Vogelfänger
³ Singvogel; auch Bezeichnung für einen Dummkopf
⁴ Narr
⁵ langsam, nichts überstürzen
⁶ ohne

Grad unter Menschen möchtest du ein Mensch
500 Zu sein verlernen.
DERWISCH: Recht, das fürcht ich auch.
Lebt wohl!
NATHAN: So hastig? – Warte doch, Al-Hafi.
Entläuft dir denn die Wüste? – Warte doch! –
505 Dass er mich hörte! – He, Al-Hafi! hier! –
Weg ist er, und ich hätt ihn noch so gern
Nach unserm Tempelherrn gefragt. Vermutlich,
Dass er ihn kennt.

Vierter Auftritt

Daja eilig herbei. Nathan

DAJA: O Nathan, Nathan!
NATHAN: Nun?
Was gibt's?
DAJA: Er lässt sich wieder sehn! Er lässt
Sich wieder sehn!
NATHAN: Wer, Daja? wer?
DAJA: Er! er!
NATHAN: Er? er? – Wann lässt sich d e r nicht sehn! – Ja so,
Nur Euer Er heißt er. – Das sollt er nicht!
510 Und wenn er auch ein Engel wäre, nicht!
DAJA: Er wandelt unter Palmen wieder auf
Und ab und bricht von Zeit zu Zeit sich Datteln.
NATHAN: Sie essend? – und als Tempelherr?
DAJA: Was quält
Ihr mich? – Ihr gierig Aug erriet ihn hinter
515 Den dicht verschränkten Palmen schon und folgt
Ihm unverrückt. Sie lässt Euch bitten, – Euch
Beschwören, – ungesäumt ihn anzugehn.
O, eilt! Sie wird Euch aus dem Fenster winken,
Ob er hinaufgeht oder weiter ab
520 Sich schlägt. O, eilt!
NATHAN: So wie ich vom Kamele
Gestiegen? – Schickt sich das? – Geh, eile du
Ihm zu und meld ihm meine Wiederkunft.

Gib acht, der Biedermann[1] hat nur mein Haus
In meinem Absein nicht betreten wollen
525   Und kömmt nicht ungern, wenn der Vater selbst
Ihn laden lässt. Geh, sag, ich lass ihn bitten,
Ihn herzlich bitten ...
DAJA: All umsonst! Er kömmt
Euch nicht. – Denn kurz, er kömmt zu keinem Juden.
NATHAN: So geh, geh wenigstens ihn anzuhalten,
530   Ihn wenigstens mit deinen Augen zu
Begleiten. – Geh, ich komme gleich dir nach.
(Nathan eilet hinein und Daja heraus)

Fünfter Auftritt

Szene:
ein Platz mit Palmen, unter welchen der Tempelherr
auf und nieder geht. Ein Klosterbruder folgt ihm in
einiger Entfernung von der Seite, immer als ob er
ihn anreden wolle

TEMPELHERR: Der folgt mir nicht vor langer Weile[2]! Sieh,
Wie schielt er nach den Händen! – Guter Bruder, ...
Ich kann Euch auch wohl Vater[3] nennen, nicht?
535 KLOSTERBRUDER: Nur Bruder – Laienbruder[4] nur, zu dienen.
TEMPELHERR: Ja, guter Bruder, wer nur selbst was hätte!
Bei Gott! Bei Gott! Ich habe nichts –
KLOSTERBRUDER: Und doch
Recht warmen Dank! Gott geb Euch tausendfach,
Was Ihr gern geben wolltet. Denn der Wille
540   Und nicht die Gabe macht den Geber. – Auch
Ward ich dem Herrn Almosens wegen gar
Nicht nachgeschickt.
TEMPELHERR: Doch aber nachgeschickt?
KLOSTERBRUDER: Ja, aus dem Kloster.

---

[1]   Ehrenmann
[2]   aus Langeweile
[3]   Anrede der Mönche
[4]   zuständig für niedrige Dienste im Kloster

TEMPELHERR: Wo ich eben jetzt
    Ein kleines Pilgermahl zu finden hoffte?
545 KLOSTERBRUDER: Die Tische waren schon besetzt: Komm
                                    aber
    Der Herr nur wieder mit zurück.
TEMPELHERR: Wozu?
    Ich habe Fleisch wohl lange nicht gegessen:
    Allein, was tut's? Die Datteln sind ja reif.
KLOSTERBRUDER: Nehm sich der Herr in acht mit dieser
                                   Frucht.
550   Zu viel genossen taugt sie nicht: verstopft
    Die Milz, macht melancholisches Geblüt.
TEMPELHERR: Wenn ich nun melancholisch gern mich fühlte? –
    Doch dieser Warnung wegen wurdet Ihr
    Mir doch nicht nachgeschickt?
KLOSTERBRUDER: O nein! – Ich soll
555   Mich nur nach Euch erkunden, auf den Zahn
    Euch fühlen.
TEMPELHERR: Und das sagt Ihr mir so selbst?
KLOSTERBRUDER: Warum nicht?
TEMPELHERR: (Ein verschmitzter Bruder!) – Hat
    Das Kloster Euresgleichen mehr?
KLOSTERBRUDER: Weiß nicht.
    Ich muss gehorchen, lieber Herr.
TEMPELHERR: Und da
560   Gehorcht Ihr denn auch, ohne viel zu klügeln[1]?
KLOSTERBRUDER: Wär's sonst gehorchen, lieber Herr?
TEMPELHERR: (Dass doch
    Die Einfalt immer recht behält!) – Ihr dürft
    Mir doch auch wohl vertrauen, wer mich gern
    Genauer kennen möchte? – Dass Ihr's selbst
565   Nicht seid, will ich wohl schwören.
KLOSTERBRUDER: Ziemte mir's?
    Und frommte mir's[2]?
TEMPELHERR: Wem ziemt und frommt es denn,
    Dass er so neubegierig ist? Wem denn?

---

[1] nachdenken, argumentieren
[2] nützte es mir

KLOSTERBRUDER: Dem Patriarchen, muss ich glauben. – Denn
Der sandte mich Euch nach.

TEMPELHERR: Der Patriarch?
570 Kennt der das rote Kreuz auf weißem Mantel
Nicht besser?

KLOSTERBRUDER: Kenn ja ich's!

TEMPELHERR: Nun, Bruder? nun? –
Ich bin ein Tempelherr und ein gefangner. –
Setz ich hinzu: gefangen bei Tebnin,[1]
Der Burg, die mit des Stillstands[2] letzter Stunde
575 Wir gern erstiegen hätten, um sodann
Auf Sidon[3] loszugehn, – setz ich hinzu:
Selbzwanzigster[4] gefangen und allein
Vom Saladin begnadigt, so weiß
Der Patriarch, was er zu wissen braucht. –
580 Mehr, als er braucht.

KLOSTERBRUDER: Wohl aber schwerlich mehr,
Als er schon weiß. – Er wüsst auch gern, warum
Der Herr vom Saladin begnadigt worden;
Er ganz allein.

TEMPELHERR: Weiß ich das selber? – Schon
Den Hals entblößt, kniet ich auf meinem Mantel,
585 Den Streich erwartend: als mich schärfer Saladin
Ins Auge fasst, mir näher springt und winkt.
Man hebt mich auf; ich bin entfesselt, will
Ihm danken: seh sein Aug in Tränen; stumm
Ist er, bin ich; er geht, ich bleibe. – Wie
590 Nun das zusammenhängt, enträtsle sich
Der Patriarche selbst.

KLOSTERBRUDER: Er schließt daraus,
Dass Gott zu großen, großen Dingen Euch
Müss aufbehalten haben.

TEMPELHERR: Ja, zu großen!
Ein Judenmädchen aus dem Feu'r zu retten,

---

[1] 1187 den Kreuzfahrern von den Sarazenen entrissenes Kastell bei
Tyrus
[2] Waffenstillstand (s. Anhang S. 171f.)
[3] Stadt nördlich von Tyrus in Syrien
[4] selbst als Zwanzigster, in einer Gruppe von zwanzig

95 Auf Sinai[1] neugier'ge Pilger zu
Geleiten und dergleichen mehr.
KLOSTERBRUDER: Wird schon
Noch kommen! – Ist inzwischen auch nicht übel. –
Vielleicht hat selbst der Patriarch bereits
Weit wicht'gere Geschäfte für den Herrn.

00 TEMPELHERR: So? meint Ihr, Bruder? Hat er gar Euch schon
Was merken lassen?
KLOSTERBRUDER: Ei, jawohl! – Ich soll
Den Herrn nur erst ergründen, ob er so
Der Mann wohl ist.
TEMPELHERR: Nun ja; ergründet nur!
(Ich will doch sehn, wie der ergründet!) – Nun?
KLOSTERBRUDER: Das Kürz'ste wird wohl sein, dass ich dem
05   Herrn
Ganz gradezu des Patriarchen Wunsch
Eröffne.
TEMPELHERR: Wohl!
KLOSTERBRUDER: Er hätte durch den Herrn
Ein Briefchen gern bestellt.
TEMPELHERR: Durch mich? Ich bin
Kein Bote. – Das, das wäre das Geschäft,
10 Das weit glorreicher sei, als Judenmädchen
Dem Feu'r entreißen?
KLOSTERBRUDER: Muss doch wohl! Denn – sagt
Der Patriarch – an diesem Briefchen sei
Der ganzen Christenheit sehr viel gelegen.
Dies Briefchen wohl bestellt zu haben – sagt
15 Der Patriarch – werd einst im Himmel Gott
Mit einer ganz besondern Krone lohnen.
Und dieser Krone – sagt der Patriarch –
Sei niemand würd'ger als mein Herr.
TEMPELHERR: Als ich?
KLOSTERBRUDER: Denn diese Krone zu verdienen – sagt
20 Der Patriarch – sei schwerlich jemand auch
Geschickter als mein Herr.
TEMPELHERR: Als ich?

---

[1] Gebirgsmassiv, auf dem Gott Moses erschienen sein soll

KLOSTERBRUDER: Er sei
Hier frei, könn überall sich hier besehn,
Versteh, wie eine Stadt zu stürmen und
Zu schirmen, könne – sagt der Patriarch –
625 Die Stärk und Schwäche der von Saladin
Neu aufgeführten, innern, zweiten Mauer
Am besten schätzen, sie am deutlichsten
Den Streitern Gottes – sagt der Patriarch –
Beschreiben.
TEMPELHERR: Guter Bruder, wenn ich doch
630 Nun auch des Briefchens nähern Inhalt wüsste.
KLOSTERBRUDER: Ja den, – den weiß ich nun wohl nicht so
                                                        recht.
Das Briefchen aber ist an König Philipp[1]. –
Der Patriarch … Ich hab mich oft gewundert,
Wie doch ein Heiliger, der sonst so ganz
635 Im Himmel lebt, zugleich so unterrichtet
Von Dingen dieser Welt zu sein herab
Sich lassen kann. Es muss ihm sauer werden.
TEMPELHERR: Nun dann? der Patriarch? –
KLOSTERBRUDER: Weiß ganz genau,
Ganz zuverlässig, wie und wo, wie stark,
640 Von welcher Seite Saladin, im Fall
Es völlig wieder losgeht, seinen Feldzug
Eröffnen wird.
TEMPELHERR: Das weiß er?
KLOSTERBRUDER: Ja, und möcht
Es gern dem König Philipp wissen lassen:
Damit der ungefähr ermessen könne,
645 Ob die Gefahr denn gar so schrecklich, um
Mit Saladin den Waffenstillestand,
Den Euer Orden schon so brav gebrochen,
Es koste, was es wolle, wiederher-
Zustellen.
TEMPELHERR: Welch ein Patriarch! – Ja so!
650 Der liebe, tapfre Mann will mich zu keinem
Gemeinen Boten, will mich – zum Spion. –

---

[1] Philipp II., König von Frankreich, nahm am 3. Kreuzzug teil
(s. Anhang S. 171f.)

Sagt Euerm Patriarchen, guter Bruder,
Soviel Ihr mich ergründen können, wär
Das meine Sache nicht. – Ich müsse mich
555 Noch als Gefangenen betrachten und
Der Tempelherren einziger Beruf
Sei, mit dem Schwerte dreinzuschlagen, nicht
Kundschafterei zu treiben.

KLOSTERBRUDER: Dacht ich's doch! –
Will's auch dem Herrn nicht eben sehr verübeln. –
560 Zwar kömmt das Beste noch. – Der Patriarch
Hiernächst hat ausgegattert[1], wie die Feste
Sich nennt, und wo auf Libanon[2] sie liegt,
In der die ungeheuren Summen stecken,
Mit welchen Saladins vorsicht'ger Vater
565 Das Heer besoldet und die Zurüstungen[3]
Des Kriegs bestreitet. Saladin verfügt
Von Zeit zu Zeit auf abgelegnen Wegen
Nach dieser Feste sich, nur kaum begleitet. –
Ihr merkt doch?

TEMPELHERR: Nimmermehr!

KLOSTERBRUDER: Was wäre da
570 Wohl leichter, als des Saladins sich zu
Bemächtigen? den Garaus ihm zu machen? –
Ihr schaudert? – O, es haben schon ein paar
Gottsfürcht'ge Maroniten[4] sich erboten,
Wenn nur ein wackrer Mann sie führen wolle,
575 Das Stück zu wagen.

TEMPELHERR: Und der Patriarch
Hätt auch zu diesem wackern Manne mich
Ersehn?

KLOSTERBRUDER: Er glaubt, dass König Philipp wohl
Von Ptolemais[5] aus die Hand hierzu
Am besten bieten könne.

TEMPELHERR: Mir? mir, Bruder?

---

[1] herausgefunden
[2] Gebirgszug
[3] Vorbereitungen
[4] syrische Christen im Libanon
[5] gemeint ist Akka, 1191 durch Philipp II. und Richard Löwenherz eroberte syrische Hafenstadt mit Festung (s. Anhang S. 171f.)

Mir? Habt Ihr nicht gehört? nur erst gehört,
680   Was für Verbindlichkeit dem Saladin
Ich habe?
KLOSTERBRUDER: Wohl hab ich's gehört.
TEMPELHERR: Und doch?
KLOSTERBRUDER: Ja – meint der Patriarch –, das wär schon
                                             gut;
Gott aber und der Orden ...
TEMPELHERR: Ändern nichts!
Gebieten mir kein Bubenstück!
685 KLOSTERBRUDER: Gewiss nicht!
Nur – meint der Patriarch – sei Bubenstück
Vor Menschen nicht auch Bubenstück vor Gott.
TEMPELHERR: Ich wär dem Saladin mein Leben schuldig:
Und raubt' ihm seines?
KLOSTERBRUDER: Pfui! – Doch bliebe – meint
Der Patriarch – noch immer Saladin
690   Ein Feind der Christenheit, der Euer Freund
Zu sein kein Recht erwerben könne.
TEMPELHERR: Freund?
An dem ich bloß nicht will zum Schurken werden,
Zum undankbaren Schurken?
KLOSTERBRUDER: Allerdings! –
Zwar – meint der Patriarch – des Dankes sei
695   Man quitt, vor Gott und Menschen quitt, wenn uns
Der Dienst um unsertwillen nicht geschehen.
Und da verlauten wolle – meint der Patriarch –
Dass Euch nur darum Saladin begnadet,
Weil ihm in Eurer Mien', in Euerm Wesen
700   So was von seinem Bruder eingeleuchtet ...
TEMPELHERR: Auch dieses weiß der Patriarch, und doch? –
Ah! wäre das gewiss! Ah, Saladin! –
Wie? die Natur hätt auch nur einen Zug
Von mir in deines Bruders Form gebildet;
705   Und dem entspräche nichts in meiner Seele?
Was dem entspräche, könnt ich unterdrücken,
Um einem Patriarchen zu gefallen? –
Natur, so leugst[1] du nicht! So widerspricht

---

[1] lügst

Sich Gott in seinen Werken nicht! – Geht, Bruder! –
710 Erregt mir meine Galle nicht! – Geht! geht!
KLOSTERBRUDER: Ich geh, und geh vergnügter, als ich kam.
Verzeihe mir der Herr. Wir Klosterleute
Sind schuldig, unsern Obern zu gehorchen.

Sechster Auftritt

*Der Tempelherr und Daja, die den Tempelherrn schon
eine Zeit lang von Weitem beobachtet hatte und
sich nun ihm nähert*

DAJA: Der Klosterbruder, wie mich dünkt, ließ in
715 Der besten Laun ihn nicht. – Doch muss ich mein
Paket nur wagen[1].
TEMPELHERR: Nun, vortrefflich! – Lügt
Das Sprichwort wohl: dass Mönch und Weib und Weib
Und Mönch des Teufels beide Krallen sind?
Er wirft mich heut aus einer in die andre.
720 DAJA: Was seh ich? – Edler Ritter, Euch? – Gott Dank!
Gott tausend Dank! – Wo habt Ihr denn
Die ganze Zeit gesteckt? – Ihr seid doch wohl
Nicht krank gewesen?
TEMPELHERR: Nein.
DAJA: Gesund doch?
TEMPELHERR: Ja.
DAJA: Wir waren Euertwegen wahrlich ganz
725 Bekümmert.
TEMPELHERR: So?
DAJA: Ihr wart gewiss verreist?
TEMPELHERR: Erraten!
DAJA: Und kamt heut erst wieder?
TEMPELHERR: Gestern.
DAJA: Auch Rechas Vater ist heut angekommen.
Und nun darf Recha doch wohl hoffen?
TEMPELHERR: Was?
DAJA: Warum sie Euch so öfters bitten lassen.
730 Ihr Vater ladet Euch nun selber bald

---

[1] einen Versuch machen

Aufs Dringlichste. Er kömmt von Babylon
Mit zwanzig hochbeladenen Kamelen
Und allem, was an edeln Spezereien[1],
735   An Steinen und an Stoffen Indien
Und Persien und Syrien, gar Sina[2],
Kostbares nur gewähren.

TEMPELHERR: Kaufe nichts.

DAJA: Sein Volk verehret ihn als einen Fürsten.
Doch dass es ihn den Weisen Nathan nennt
740   Und nicht vielmehr den reichen, hat mich oft
Gewundert.

TEMPELHERR: Seinem Volk ist reich und weise
Vielleicht das Nämliche.

DAJA: Vor allen aber
Hätt's ihn den Guten nennen müssen; denn
Ihr stellt Euch gar nicht vor, wie gut er ist.
745   Als er erfuhr, wie viel Euch Recha schuldig:
Was hätt, in diesem Augenblicke, nicht
Er alles Euch getan, gegeben!

TEMPELHERR: Ei!

DAJA: Versucht's und kommt und seht!

TEMPELHERR: Was denn? wie schnell
Ein Augenblick vorüber ist?

DAJA: Hätt ich,
750   Wenn er so gut nicht wär, es mir so lange
Bei ihm gefallen lassen? Meint Ihr etwa,
Ich fühle meinen Wert als Christin nicht?
Auch mir ward's vor der Wiege nicht gesungen,
Dass ich nur darum meinem Ehgemahl
755   Nach Palästina folgen würd, um da
Ein Judenmädchen zu erziehn. Es war
Mein lieber Ehgemahl ein edler Knecht[3]
In Kaiser Friedrichs[4] Heere –

---

[1]   Gewürze
[2]   alte Bezeichnung für China
[3]   Reiter
[4]   Kaiser Friedrich I. (Barbarossa), geb. 1121, während des 3. Kreuz-
      zuges 1190 im Fluss Saleph ertrunken (s. Anhang S. 171f.)

TEMPELHERR: Von Geburt
   Ein Schweizer, dem die Ehr und Gnade ward,
760   Mit Seiner Kaiserlichen Majestät
   In einem Flusse zu ersaufen. – Weib!
   Wie viel Mal habt Ihr mir das schon erzählt?
   Hört Ihr denn gar nicht auf mich zu verfolgen?

DAJA: Verfolgen! lieber Gott!

TEMPELHERR: Ja, ja, verfolgen.
765   Ich will nun einmal Euch nicht weiter sehn!
   Nicht hören! Will von euch an eine Tat
   Nicht fort und fort erinnert sein, bei der
   Ich nichts gedacht, die, wenn ich drüber denke,
   Zum Rätsel von mir selbst mir wird. Zwar möcht
770   Ich sie nicht gern bereuen. Aber seht,
   Ereignet so ein Fall sich wieder: Ihr
   Seid schuld, wenn ich so rasch nicht handle, wenn
   Ich mich vorher erkund' – und brennen lasse,
   Was brennt.

DAJA: Bewahre Gott!

TEMPELHERR: Von heute an tut
775   Mir den Gefallen wenigstens und kennt
   Mich weiter nicht. Ich bitt Euch drum. Auch lasst
   Den Vater mir vom Halse. Jud' ist Jude.
   Ich bin ein plumper Schwab. Des Mädchens Bild
   Ist längst aus meiner Seele, wenn es je
   Da war.

780 DAJA: Doch Eures ist aus ihrer nicht.

TEMPELHERR: Was soll's nun aber da? was soll's?

DAJA: Wer weiß!
   Die Menschen sind nicht immer, was sie scheinen.

TEMPELHERR: Doch selten etwas Bessers. (*Er geht*)

DAJA: Wartet doch!
   Was eilt Ihr?

TEMPELHERR: Weib, macht mir die Palmen nicht
785   Verhasst, worunter ich so gern sonst wandle.

DAJA: So geh, du deutscher Bär! so geh! – und doch
   Muss ich die Spur des Tieres nicht verlieren.
   (*Sie geht ihm von weitem nach*)

Zweiter Aufzug

Erster Auftritt

Die Szene: des Sultans Palast
Saladin und Sittah spielen Schach

SITTAH: Wo bist du, Saladin? Wie spielst du heut?

SALADIN: Nicht gut? Ich dächte schon.

SITTAH: Für mich! und kaum.
Nimm diesen Zug zurück.

SALADIN: Warum?

790 SITTAH: Der Springer
Wird unbedeckt.

SALADIN: Ist wahr. Nun so!

SITTAH: So zieh
Ich in die Gabel.[1]

SALADIN: Wieder wahr. – Schach dann!

SITTAH: Was hilft dir das? Ich setze vor: und du
Bist, wie du warst.

SALADIN: Aus dieser Klemme, seh

795 Ich wohl, ist ohne Buße nicht zu kommen.
Mag's! Nimm den Springer nur!

SITTAH: Ich will ihn nicht.
Ich geh vorbei.

SALADIN: Du schenkst mir nichts. Dir liegt
An diesem Platze mehr als an dem Springer.

SITTAH: Kann sein.

SALADIN: Mach deine Rechnung nur nicht ohne

800 Den Wirt. Denn sieh! Was gilt's, das warst du nicht
Vermuten[2]?

SITTAH: Freilich nicht. Wie konnt ich auch
Vermuten, dass du deiner Königin
So müde wärst?

SALADIN: Ich meiner Königin?

SITTAH: Ich seh nun schon: ich soll heut meine tausend

---

[1] Schachzug, mit dem gleichzeitig zwei gegnerische Figuren bedroht werden

[2] das hast du nicht vermutet?

805 Dinar[1], kein Naserinchen[2] mehr gewinnen.

SALADIN: Wieso?

SITTAH: Frag noch! – Weil du mit Fleiß, mit aller
Gewalt verlieren willst. – Doch dabei find
Ich meine Rechnung nicht; denn außer, dass
Ein solches Spiel das unterhaltendste
810 Nicht ist: gewann ich immer nicht am meisten
Mit dir, wenn ich verlor? Wenn[3] hast du mir
Den Satz, mich des verlornen Spieles wegen
Zu trösten, doppelt nicht hernach geschenkt?

SALADIN: Ei sieh! So hättest du ja wohl, wenn du
815 Verlorst, mit Fleiß verloren, Schwesterchen?

SITTAH: Zum Wenigsten kann gar wohl sein, dass deine
Freigebigkeit, mein liebes Brüderchen,
Schuld ist, dass ich nicht besser spielen lernen.

SALADIN: Wir kommen ab vom Spiele. Mach ein Ende!

820 SITTAH: So bleibt es? Nun dann: Schach! und doppelt
Schach!

SALADIN: Nun freilich, dieses Abschach[4] hab ich nicht
Gesehn, das meine Königin zugleich
Mit niederwirft.

SITTAH: War dem noch abzuhelfen?

SALADIN: Nein, nein! nimm nur die Königin.
825 Ich war mit diesem Steine nie recht glücklich.

SITTAH: Bloß mit dem Steine?

SALADIN: Fort damit! – Das tut
Mir nichts; denn so ist alles wiederum
Geschützt.

SITTAH: Wie höflich man mit Königinnen
Verfahren müsse, hat mein Bruder mich
Zu wohl gelehrt. (*Sie lässt sie stehen*)

830 SALADIN: Nimm, oder nimm sie nicht!
Ich habe keine mehr.

SITTAH: Wozu sie nehmen?
Schach! – Schach!

---

[1] arabische Goldmünze
[2] Naserin: arabische Silbermünze
[3] wann
[4] Schachzug, der in besonderer Weise den König bedroht

SALADIN: Nur weiter.

SITTAH: Schach! – und Schach! – und Schach! –

SALADIN: Und matt!

SITTAH: Nicht ganz; du ziehst den Springer noch
    Dazwischen; oder was du machen willst.
    Gleichviel!

835 SALADIN: Ganz recht! – Du hast gewonnen, und
    Al-Hafi zahlt. – Man lass ihn rufen! gleich! –
    Du hattest, Sittah, nicht so Unrecht: ich
    War nicht so ganz beim Spiele, war zerstreut.
    Und dann: wer gibt uns denn die glatten Steine[1]
840   Beständig, die an nichts erinnern, nichts
    Bezeichnen? Hab ich mit dem Iman[2] denn
    Gespielt? – Doch was? Verlust will Vorwand. Nicht
    Die ungeformten Steine, Sittah, sind's,
    Die mich verlieren machten: deine Kunst,
845   Dein ruhiger und schneller Blick ...

SITTAH: Auch so
    Willst du den Stachel des Verlusts nur stumpfen.
    Genug, du warst zerstreut und mehr als ich.

SALADIN: Als du? Was hätte d i c h zerstreuet?

SITTAH: Deine
    Zerstreuung freilich nicht! – O Saladin,
850   Wenn werden wir so fleißig wieder spielen?

SALADIN: So spielen wir um so viel gieriger! –
    Ah! weil es wieder losgeht, meinst du? – Mag's! –
    Nur zu! – Ich habe nicht zuerst gezogen;
    Ich hätte gern den Stillestand[3] aufs Neue
855   Verlängert, hätte meiner Sittah gern,
    Gern einen guten Mann zugleich verschafft.
    Und das muss Richards Bruder[4] sein: er ist
    Ja Richards Bruder.

---

[1] Das arabische Schachspiel besitzt keine figürlich gestalteten Schachfiguren, weil der Koran Abbildungen und plastische Darstellungen verbietet.

[2] Vorbeter in der Moschee

[3] bezieht sich auf den Waffenstillstand zwischen Saladin und Richard II. aus dem Jahre 1192 (s. Anhang S. 171f.)

[4] Gemeint ist Johann (1166–1216), Bruder von Richard I. Löwenherz und späterer König Englands; eine Verbindung zwischen Sittah und Johann ist historisch nicht verbürgt.

SITTAH: Wenn du deinen Richard
    Nur loben kannst!
SALADIN: Wenn unserm Bruder Melek
60 Dann Richards Schwester wär zu Teile worden[1];
    Ha! welch ein Haus zusammen! Ha, der ersten,
    Der besten Häuser in der Welt das beste! –
    Du hörst, ich bin, mich selbst zu loben, auch
    Nicht faul. Ich dünk mich meiner Freunde wert. –
65 Das hätte Menschen geben sollen! Das!
SITTAH: Hab ich des schönen Traums nicht gleich gelacht?
    Du kennst die Christen nicht, willst sie nicht kennen.
    Ihr Stolz ist: Christen sein, nicht Menschen, denn
    Selbst das, was noch von ihrem Stifter her,
70 Mit Menschlichkeit den Aberglauben wirzt[2],
    Das lieben sie, nicht weil es menschlich ist:
    Weil's Christus lehrt, weil's Christus hat getan. –
    Wohl ihnen, dass er ein so guter Mensch
    Noch war! wohl ihnen, dass sie seine Tugend
75 Auf Treu und Glaube nehmen können! – Doch,
    Was Tugend? – Seine Tugend nicht, sein Name
    Soll überall verbreitet werden, soll
    Die Namen aller guten Menschen schänden,
    Verschlingen. Um den Namen, um den Namen
    Ist ihnen nur zu tun.
80 SALADIN: Du meinst: warum
    Sie sonst verlangen würden, dass auch ihr,
    Auch du und Melek, Christen hießet, eh
    Als Ehgemahl ihr Christen lieben wolltet?
SITTAH: Jawohl! Als wär von Christen nur, als Christen,
85 Die Liebe zu gewärtigen[3], womit
    Der Schöpfer Mann und Männin[4] ausgestattet!
SALADIN: Die Christen glauben mehr Armseligkeiten,
    Als dass sie d i e nicht auch noch glauben könnten! –

---

[1] Eine Ehe zwischen Saladins Bruder und der Schwester von Richard I.
    war tatsächlich geplant, kam jedoch nicht zustande, weil die Kirche
    dieses ablehnte. (s. Anhang S. 171f.)
[2] würzt, anreichert
[3] zu erwarten
[4] Bezeichnung aus dem Alten Testament (1. Mos. 2,23)

Und gleichwohl irrst du dich. – Die Tempelherren,
890 Die Christen nicht, sind schuld; sind, nicht als Christen,
Als Tempelherren schuld. Durch die allein
Wird aus der Sache nichts. Sie wollen Akka[1],
Das Richards Schwester unserm Bruder Melek
Zum Brautschatz bringen müsste, schlechterdings
895 Nicht fahren lassen. Dass des Ritters Vorteil
Gefahr nicht laufe, spielen sie den Mönch,
Den albern Mönch. Und ob vielleicht im Fluge
Ein guter Streich gelänge, haben sie
Des Waffenstillestandes Ablauf kaum
900 Erwarten können. – Lustig! Nur so weiter!
Ihr Herren, nur so weiter! – Mir schon recht! –
Wär alles sonst nur, wie es müsste.

SITTAH: Nun?
Was irrte[2] dich denn sonst? Was könnte sonst
Dich aus der Fassung bringen?

SALADIN: Was von je
905 Mich immer aus der Fassung hat gebracht. –
Ich war auf Libanon, bei unserm Vater.
Er unterliegt den Sorgen noch ...

SITTAH: O weh!

SALADIN: Er kann nicht durch; es klemmt sich aller Orten;
Es fehlt bald da, bald dort –

SITTAH: Was klemmt? was fehlt?

910 SALADIN: Was sonst, als was ich kaum zu nennen würd'ge?
Was, wenn ich's habe, mir so überflüssig,
Und hab ich's nicht, so unentbehrlich scheint. –
Wo bleibt Al-Hafi denn? Ist niemand nach
Ihm aus? – Das leidige, verwünschte Geld! –
Gut, Hafi, dass du kömmst.

---

1   syrische Hafenstadt mit Festung (s. Anhang S. 172f.)
2   durcheinander bringen, irritieren

Zweiter Auftritt

Der Derwisch Al-Hafi. Saladin. Sittah

15 AL-HAFI: Die Gelder aus
    Ägypten sind vermutlich angelangt.
    Wenn's nur fein viel ist.
SALADIN: Hast du Nachricht?
AL-HAFI: Ich?
    Ich nicht. Ich denke, dass ich hier sie in
    Empfang soll nehmen.
SALADIN: Zahl an Sittah tausend
    Dinare! (*In Gedanken hin und her gehend*)
20 AL-HAFI: Zahl! anstatt empfang! O schön!
    Das ist für Was noch weniger als Nichts. –
    An Sittah? – wiederum an Sittah? Und
    Verloren? – wiederum im Schach verloren? –
    Da steht es noch, das Spiel!
SITTAH: Du gönnst mir doch
    Mein Glück?
AL-HAFI: (*das Spiel betrachtend*)
           Was gönnen? Wenn – Ihr wisst ja wohl.
25 SITTAH: (*ihm winkend*) Bst! Hafi! bst!
AL-HAFI: (*noch auf das Spiel gerichtet*)
             Gönnt's Euch nur selber erst!
SITTAH: Al Hafi, bst!
AL-HAFI: (*zu Sittah*) Die Weißen waren Euer?
    Ihr bietet Schach?
SITTAH: Gut, dass er nichts gehört!
AL-HAFI: Nun ist der Zug an ihm?
SITTAH: (*ihm näher tretend*)   So sage doch,
    Dass ich mein Geld bekommen kann.
30 AL-HAFI: (*noch auf das Spiel geheftet*)   Nun ja,
    Ihr sollt's bekommen, wie Ihr's stets bekommen.
SITTAH: Wie? Bist du toll?
AL-HAFI: Das Spiel ist ja nicht aus.
    Ihr habt ja nicht verloren, Saladin.
SALADIN: (*kaum hinhörend*) Doch! doch! Bezahl! bezahl!
AL-HAFI: Bezahl! bezahl!
    Da steht ja Eure Königin.

935 SALADIN: *(noch so)*   Gilt nicht,
　　Gehört nicht mehr ins Spiel.
　SITTAH: So mach und sag,
　　Dass ich das Geld mir nur kann holen lassen.
　AL-HAFI: *(noch immer in das Spiel vertieft)*
　　Versteht sich, so wie immer. – Wenn auch schon,
　　Wenn auch die Königin nichts gilt: Ihr seid
　　Doch darum noch nicht matt.
940 SALADIN: *(tritt hinzu und wirft das Spiel um)* Ich bin es, will
　　Es sein.
　AL-HAFI: Ja so! – Spiel wie Gewinst! So wie
　　Gewonnen, so bezahlt.
　SALADIN: *(zu Sittah)*   Was sagt er? Was?
　SITTAH: *(von Zeit zu Zeit dem Hafi winkend)*
　　Du kennst ihn ja. Er sträubt sich gern, lässt gern
　　Sich bitten, ist wohl gar ein wenig neidisch.
945 SALADIN: Auf dich doch nicht! Auf meine Schwester nicht? –
　　Was hör ich, Hafi? Neidisch? Du?
　AL-HAFI: Kann sein!
　　Kann sein! – Ich hätt ihr Hirn wohl lieber selbst.
　　Wär lieber selbst so gut als sie.
　SITTAH: Indes
　　Hat er doch immer richtig noch bezahlt.
950 　Und wird auch heut bezahlen. Lass ihn nur! –
　　Geh nur, Al-Hafi, geh! Ich will das Geld
　　Schon holen lassen.
　AL-HAFI: Nein, ich spiele länger
　　Die Mummerei[1] nicht mit! Er muss es doch
　　Einmal erfahren.
　SALADIN: Wer? und was?
　SITTAH: Al-Hafi!
955 　Ist dieses dein Versprechen? Hältst du so
　　Mir Wort?
　AL-HAFI: Wie konnt ich glauben, dass es so
　　Weit gehen würde?
　SALADIN: Nun? Erfahr ich nichts?
　SITTAH: Ich bitte dich, Al-Hafi, sei bescheiden.

---

[1] Spiel, Verkleidung

SALADIN: Das ist doch sonderbar! Was könnte Sittah
50   So feierlich, so warm bei einem Fremden,
    Bei einem Derwisch lieber als bei mir,
    Bei ihrem Bruder, sich verbitten[1] wollen?
    Al-Hafi, nun befehl ich! Rede, Derwisch!
SITTAH: Lass eine Kleinigkeit, mein Bruder, dir
55   Nicht näher treten, als sie würdig ist.
    Du weißt, ich habe zu verschiednen Malen
    Dieselbe Summ im Schach von dir gewonnen.
    Und weil ich itzt das Geld nicht nötig habe,
    Weil itzt in Hafis Kasse doch das Geld
70   Nicht eben allzu häufig ist: so sind
    Die Posten stehn geblieben. Aber sorgt
    Nur nicht! Ich will sie weder dir, mein Bruder,
    Noch Hafi, noch der Kasse schenken.
AL-HAFI: Ja,
    Wenn's das nur wäre! Das!
SITTAH: Und mehr dergleichen.
75   Auch das ist in der Kasse stehn geblieben,
    Was du mir einmal ausgeworfen, ist
    Seit wenig Monden stehn geblieben.
AL-HAFI: Noch
    Nicht alles!
SALADIN: Noch nicht? – Wirst du reden?
AL-HAFI: Seit aus Ägypten wir das Geld erwarten,
    Hat sie ...
SITTAH: (*zu Saladin*) Wozu ihn hören?
80 AL-HAFI: Nicht nur nichts
    Bekommen ...
SALADIN: Gutes Mädchen! – Auch beiher[2]
    Mit vorgeschossen. Nicht?
AL-HAFI: Den ganzen Hof
    Erhalten, Euern Aufwand ganz allein
    Bestritten.
SALADIN: Ha, das, das ist meine Schwester! (*Sie umarmend*)
85 SITTAH: Wer hatte, dies zu können, mich so reich
    Gemacht als du, mein Bruder?

---

[1] um etwas bitten
[2] nebenbei

AL-HAFI: Wird schon auch
So bettelarm sie wieder machen, als
Er selber ist.
SALADIN: Ich arm? Der Bruder arm?
Wenn hab ich mehr, wenn weniger gehabt? –
990 E i n Kleid, E i n Schwert, E i n Pferd – und E i n e n Gott!
Was brauch ich mehr? Wenn kann's an dem mir fehlen?
Und doch, Al-Hafi, könnt ich mit dir schelten.
SITTAH: Schilt nicht, mein Bruder. Wenn ich userm Vater
Auch seine Sorgen so erleichtern könnte!
995 SALADIN: Ah! ah! Nun schlägst du meine Freudigkeit
Auf einmal wieder nieder! – Mir, für mich
Fehlt nichts und kann nichts fehlen. Aber ihm,
Ihm fehlet und in ihm uns allen. – Sagt,
Was soll ich machen? – Aus Ägypten kommt
1000 Vielleicht noch lange nichts. Woran das liegt,
Weiß Gott. Es ist doch da noch alles ruhig. –
Abbrechen[1], einziehn[2], sparen will ich gern,
Mir gern gefallen lassen, wenn es mich,
Bloß mich betrifft, bloß mich, und niemand sonst
1005 Darunter leidet. – Doch was kann das machen?
Ein Pferd, Ein Kleid, Ein Schwert muss ich doch haben,
Und meinem Gott ist auch nichts abzudingen[3].
Ihm g'nügt schon so mit Wenigem genug,
Mit meinem Herzen. – Auf den Überschuss
1010 Von deiner Kasse, Hafi, hatt' ich sehr
Gerechnet.
AL-HAFI: Überschuss? – Sagt selber, ob
Ihr mich nicht hättet spießen, wenigstens
Mich drosseln lassen, wenn auf Überschuss
Ich von Euch wär' ergriffen worden. Ja,
Auf Unterschleif[4]! Das war zu wagen.
1015 SALADIN: Nun,
Was machen wir denn aber? – Konntest du

---

[1] sich einschränken
[2] den Aufwand verringern
[3] herunterzuhandeln
[4] Unterschlagung, Betrug

Vorerst bei niemand andern borgen als
Bei Sittah?

SITTAH: Würd ich dieses Vorrecht, Bruder,
Mir haben nehmen lassen? Mir von ihm?
20 Auch noch besteh ich drauf. Noch bin ich auf
Dem Trocknen völlig nicht.

SALADIN: Nur völlig nicht!
Das fehlte noch! – Geh gleich, mach Anstalt, Hafi!
Nimm auf, bei wem du kannst! und wie du kannst!
Geh, borg, versprich. – Nur, Hafi, borge nicht
25 Bei denen, die ich reich gemacht; denn borgen
Von diesen, möchte wiederfordern[1] heißen.
Geh zu den Geizigsten: die werden mir
Am liebsten leihen; denn sie wissen wohl,
Wie gut ihr Geld in meinen Händen wuchert.

AL-HAFI: Ich kenne deren keine.

30 SITTAH: Eben fällt
Mir ein gehört zu haben, Hafi, dass
Dein Freund zurückgekommen.

AL-HAFI: *(betroffen)* Freund? Mein Freund?
Wer wär denn das?

SITTAH: Dein hochgepriesner Jude.

AL-HAFI: Gepriesner Jude? Hoch von mir?

SITTAH: Dem Gott –
35 Mich denkt[2] des Ausdrucks noch recht wohl, des einst
Du selber dich von ihm bedientest – dem
Sein Gott von allen Gütern dieser Welt
Das kleinst' und größte so in vollem Maß
Erteilet habe. –

AL-HAFI: Sagt ich so? – Was meint
Ich denn damit?

40 SITTAH: Das kleinste: Reichtum. Und
Das größte: Weisheit.

AL-HAFI: Wie? Von einem Juden?
Von einem Juden hätt' ich das gesagt?

SITTAH: Das hättest du von deinem Nathan nicht
Gesagt?

---

[1] zurückfordern
[2] Ich erinnere mich

AL-HAFI: Ja so! von dem! vom Nathan! – Fiel
1045 Mir der doch gar nicht bei. – Wahrhaftig? Der
Ist endlich wieder heimgekommen? Ei!
So mag's doch gar so schlecht mit ihm nicht stehn. –
Ganz recht: den nannt einmal das Volk den Weisen!
Den Reichen auch.

SITTAH: Den Reichen nennt es ihn
1050 Itzt mehr als je. Die ganze Stadt erschallt,
Was er für Kostbarkeiten, was für Schätze
Er mitgebracht.

AL-HAFI: Nun, ist's der Reiche wieder:
So wird's auch wohl der Weise wieder sein.

SITTAH: Was meinst du, Hafi, wenn du diesen angingst?

1055 AL-HAFI: Und was bei ihm? – Doch wohl nicht borgen? – Ja,
Da kennt Ihr ihn. – Er borgen! – Seine Weisheit
Ist eben, dass er niemand borgt.

SITTAH: Du hast
Mir sonst doch ganz ein ander Bild von ihm
Gemacht.

AL-HAFI: Zur Not wird er Euch Waren borgen.
1060 Geld aber, Geld? Geld nimmermehr! – Es ist
Ein Jude freilich übrigens, wie's nicht
Viel Juden gibt. Er hat Verstand; er weiß
Zu leben, spielt gut Schach. Doch zeichnet er
Im Schlechten sich nicht minder als im Guten
1065 Von allen andern Juden aus. – Auf den,
Auf den nur rechnet nicht. – Den Armen gibt
Er zwar und gibt vielleicht trotz[1] Saladin,
Wenn schon nicht ganz so viel, doch ganz so gern,
Doch ganz so sonder[2] Ansehn. Jud' und Christ
1070 Und Muselmann und Parsi[3], alles ist
Ihm eins.

SITTAH: Und so ein Mann ...

SALADIN: Wie kommt es denn,
Dass ich von diesem Manne nie gehört? ...

SITTAH: Der sollte Saladin nicht borgen? Nicht

---

[1] hier: genauso wie
[2] ohne
[3] Anhänger einer altiranischen Religion

Dem Saladin, der nur für andre braucht,
Nicht sich?

75 AL-HAFI: Da seht nun gleich den Juden wieder,
Den ganz gemeinen[1] Juden! – Glaubt mir's doch! –
Er ist aufs Geben Euch so eifersüchtig,
So neidisch! Jedes L o h n   v o n   G o t t[2], das in
Der Welt gesagt wird, zög er lieber ganz

80 Allein. Nur darum eben leiht er keinem,
Damit er stets zu geben habe. Weil
Die Mild' ihm im Gesetz geboten, die
Gefälligkeit ihm aber nicht geboten, macht
Die Mild' ihn zu dem ungefälligsten

85 Gesellen auf der Welt. Zwar bin ich seit
Geraumer Zeit ein wenig übern Fuß
Mit ihm gespannt; doch denkt nur nicht, dass ich
Ihm darum nicht Gerechtigkeit erzeige.
Er ist zu allem gut, bloß dazu nicht,

90 Bloß dazu wahrlich nicht. Ich will auch gleich
Nur gehn, an andre Türen klopfen ... Da
Besinn ich mich soeben eines Mohren,
Der reich und geizig ist. – Ich geh, ich geh.

SITTAH: Was eilst du, Hafi?
SALADIN: Lass ihn! Lass ihn!

Dritter Auftritt

Sittah. Saladin

SITTAH: Eilt
95 Er doch, als ob er mir nur gern entkäme! –
Was heißt das? – Hat er wirklich sich in ihm
Betrogen, oder – möcht er uns nur gern
Betrügen?

SALADIN: Wie? Das fragst du mich? Ich weiß
Ja kaum, von wem die Rede war, und höre
100 Von euerm Juden, euerm Nathan heut
Zum ersten Mal.

---

[1] gewöhnlichen
[2] Dankspruch

SITTAH: Ist's möglich, dass ein Mann
Dir so verborgen blieb, von dem es heißt,
Er habe Salomons und Davids Gräber[1]
Erforscht und wisse deren Siegel durch
1105 Ein mächtiges geheimes Wort zu lösen?
Aus ihnen bring er dann von Zeit zu Zeit
Die unermesslichen Reichtümer an
Den Tag, die keinen mindern Quell verrieten.
SALADIN: Hat seinen Reichtum dieser Mann aus Gräbern,
1110 So waren's sicherlich nicht Salomons,
Nicht Davids Gräber. Narren lagen da
Begraben.
SITTAH: Oder Bösewichter! – Auch
Ist seines Reichtums Quelle weit ergiebiger,
Weit unerschöpflicher als so ein Grab
Voll Mammon[2].
1115 SALADIN: Denn er handelt, wie ich hörte.
SITTAH: Sein Saumtier[3] treibt auf allen Straßen, zieht
Durch alle Wüsten; seine Schiffe liegen
In allen Häfen. Das hat mir wohl eh
Al-Hafi selbst gesagt und voll Entzücken
1120 Hinzugefügt, wie groß, wie edel dieser,
Sein Freund, anwende, was so klug und emsig
Er zu erwerben für zu klein nicht achte!
Hinzugefügt, wie frei von Vorurteilen
Sein Geist, sein Herz, wie offen jeder Tugend,
1125 Wie eingestimmt mit jeder Schönheit sei.
SALADIN: Und itzt sprach Hafi doch so ungewiss,
So kalt von ihm.
SITTAH: Kalt nun wohl nicht, verlegen.
Als halt er's für gefährlich, ihn zu loben,
Und woll' ihn unverdient doch auch nicht tadeln. –
1130 Wie? oder wär es wirklich so, dass selbst
Das Beste seines Volkes seinem Volke

---

[1] Im Mittelalter galten sie als Hort unermesslicher, noch nicht entdeckter Schätze.
[2] Geld, Reichtum
[3] Lasttier

Nicht ganz entfliehen kann? Dass wirklich sich
Al-Hafi seines Freunds von dieser Seite
Zu schämen hätte? – Sei dem, wie ihm wolle! –
35 Der Jude sei mehr oder weniger
Als Jud'. Ist er nur reich: genug für uns!

SALADIN: Du willst ihm aber doch das Seine mit
Gewalt nicht nehmen, Schwester?

SITTAH: Ja, was heißt
Bei dir Gewalt? Mit Feu'r und Schwert? Nein, nein!
40 Was braucht es mit den Schwachen für Gewalt
Als ihre Schwäche? – Komm vor itzt nur mit
In meinen Haram[1], eine Sängerin
Zu hören, die ich gestern erst gekauft.
Es reift indes bei mir vielleicht ein Anschlag,
45 Den ich auf diesen Nathan habe. – Komm!

Vierter Auftritt

Szene: vor dem Hause des Nathan, wo es an die
Palmen stößt.
Recha und Nathan kommen heraus. Zu ihnen Daja

RECHA: Ihr habt Euch sehr verweilt, mein Vater. Er
Wird kaum noch mehr zu treffen sein.

NATHAN: Nun, nun;
Wenn hier, hier untern Palmen schon nicht mehr:
Doch anderwärts. – Sei itzt nur ruhig. – Sieh!
Kommt dort nicht Daja auf uns zu?

150 RECHA: Sie wird
Ihn ganz gewiss verloren haben.

NATHAN: Auch
Wohl nicht.

RECHA: Sie würde sonst geschwinder kommen.

NATHAN: Sie hat uns wohl noch nicht gesehn …

RECHA: Nun sieht
Sie uns.

NATHAN: Und doppelt ihre Schritte. Sieh!
Sei doch nur ruhig! ruhig!

---

[1] Harem, Aufenthaltsort der Frauen

1155 RECHA: Wolltet Ihr
Wohl eine Tochter, die hier ruhig wäre?
Sich unbekümmert ließe, wessen Wohltat
Ihr Leben sei? Ihr Leben, – das ihr nur
So lieb, weil sie es Euch zuerst verdanket.
1160 NATHAN: Ich möchte dich nicht anders, als du bist:
Auch wenn ich wüsste, dass in deiner Seele
Ganz etwas anders noch sich rege.
RECHA: Was,
Mein Vater?
NATHAN: Fragst du mich? So schüchtern mich?
Was auch in deinem Innern vorgeht, ist
1165 Natur und Unschuld. Lass es keine Sorge
Dir machen! Mir, mir macht es keine. Nur
Versprich mir: Wenn dein Herz vernehmlicher
Sich einst erklärt, mir seiner Wünsche keinen
Zu bergen.
RECHA: Schon die Möglichkeit, mein Herz
1170 Euch lieber zu verhüllen, macht mich zittern.
NATHAN: Nichts mehr hiervon! Das ein- für allemal
Ist abgetan. – Da ist ja Daja. – Nun?
DAJA: Noch wandelt er hier untern Palmen und
Wird gleich um jene Mauer kommen. – Seht,
Da kömmt er!
1175 RECHA: Ah! und scheinet unentschlossen,
Wohin? ob weiter? ob hinab? ob rechts?
Ob links?
DAJA: Nein, nein; er macht den Weg ums Kloster
Gewiss noch öfter und dann muss er hier
Vorbei. – Was gilt's?
RECHA: Recht! recht! – Hast du ihn schon
Gesprochen? Und wie ist er heut?
1180 DAJA: Wie immer.
NATHAN: So macht nur, dass er euch hier nicht gewahr
Wird! Tretet mehr zurück! Geht lieber ganz
Hinein!
RECHA: Nur einen Blick noch! – Ah! die Hecke,
Die mir ihn stiehlt!
DAJA: Kommt! kommt! Der Vater hat
1185 Ganz Recht. Ihr lauft Gefahr, wenn er Euch sieht,

Dass auf der Stell er umkehrt.

RECHA: Ah! die Hecke!

NATHAN: Und kömmt er plötzlich dort aus ihr hervor:
So kann er anders nicht, er muss euch sehn.
Drum geht doch nur!

DAJA: Kommt! kommt! Ich weiß ein Fenster,
Aus dem wir sie bemerken können.

90 RECHA: Ja?

(Beide hinein.)

Fünfter Auftritt

Nathan und bald darauf der Tempelherr

NATHAN: Fast scheu ich mich des Sonderlings. Fast macht
Mich seine raue Tugend stutzen. Dass
Ein Mensch doch einen Menschen so verlegen
Soll machen können! – Ha! er kömmt. – Bei Gott!
95 Ein Jüngling wie ein Mann. Ich mag ihn wohl
Den guten, trotz'gen Blick, den prallen[1] Gang!
Die Schale kann nur bitter sein, der Kern
Ist's sicher nicht. – Wo sah ich doch dergleichen? –
Verzeihet, edler Franke ...

TEMPELHERR: Was?

NATHAN: Erlaubt ...

TEMPELHERR: Was, Jude? was?

200 NATHAN: Dass ich mich untersteh
Euch anzureden.

TEMPELHERR: Kann ich's wehren? Doch
Nur kurz.

NATHAN: Verzieht[2], und eilet nicht so stolz,
Nicht so verächtlich einem Mann vorüber,
Den Ihr auf ewig Euch verbunden habt.

205 TEMPELHERR: Wie das? – Ah, fast errat ich's. Nicht? Ihr
seid ...

NATHAN: Ich heiße Nathan, bin des Mädchens Vater,

---

[1] festen
[2] bleibt, verweilt

Das Eure Großmut aus dem Feu'r gerettet,
Und komme ...

TEMPELHERR: Wenn zu danken: – spart's! Ich hab
Um diese Kleinigkeit des Dankes schon
1210 Zu viel erdulden müssen. – Vollends Ihr,
Ihr seid mir gar nichts schuldig. Wusst ich denn,
Dass dieses Mädchen Eure Tochter war?
Es ist der Tempelherren Pflicht, dem ersten
Dem besten beizuspringen, dessen Not
1215 Sie sehn. Mein Leben war mir ohnedem
In diesem Augenblicke lästig. Gern,
Sehr gern ergriff ich die Gelegenheit,
Es für ein andres Leben in die Schanze
Zu schlagen[1]: für ein andres, – wenn's auch nur
Das Leben einer Jüdin wäre.

1220 NATHAN: Groß!
Groß und abscheulich! – Doch die Wendung lässt
Sich denken. Die bescheidne Größe flüchtet
Sich hinter das Abscheuliche, um der
Bewundrung auszuweichen. – Aber wenn
1225 Sie so das Opfer der Bewunderung
Verschmäht, was für ein Opfer denn verschmäht
Sie minder[2]? – Ritter, wenn Ihr hier nicht fremd
Und nicht gefangen wäret, würd ich Euch
So dreist nicht fragen. Sagt, befehlt: womit
Kann man Euch dienen?

TEMPELHERR: Ihr? Mit nichts.

1230 NATHAN: Ich bin
Ein reicher Mann.

TEMPELHERR: Der reichre Jude war
Mir nie der bessre Jude.

NATHAN: Dürft Ihr denn
Darum nicht nützen, was dem ungeachtet
Er Bessres hat? nicht seinen Reichtum nützen?

1235 TEMPELHERR: Nun gut, das will ich auch nicht ganz verreden,
Um meines Mantels willen nicht. Sobald
Der ganz und gar verschlissen, weder Stich

---

[1] einzusetzen, aufs Spiel zu setzen
[2] weniger

Noch Fetze länger halten will: komm ich
Und borge mir bei Euch zu einem neuen,
240 Tuch oder Geld. – Seht nicht mit eins so finster!
Noch seid Ihr sicher; noch ist's nicht so weit
Mit ihm. Ihr seht, er ist so ziemlich noch
Im Stande. Nur der eine Zipfel da
Hat einen garst'gen[1] Fleck: er ist versengt[2].
245 Und das bekam er, als ich Eure Tochter
Durchs Feuer trug.
NATHAN: *(der nach dem Zipfel greift und ihn betrachtet)*
                    Es ist doch sonderbar,
Dass so ein böser Fleck, dass so ein Brandmal
Dem Mann ein bessres Zeugnis redet als
Sein eigner Mund. Ich möcht ihn küssen gleich –
250 Den Flecken! – Ah, verzeiht! – Ich tat es ungern.
TEMPELHERR: Was?
NATHAN: Eine Träne fiel darauf.
TEMPELHERR: Tut nichts!
Er hat der Tropfen mehr. – (Bald aber fängt
Mich dieser Jud' an zu verwirren.)
NATHAN: Wärt
Ihr wohl so gut und schicktet Euern Mantel
Auch einmal meinem Mädchen?
255 TEMPELHERR: Was damit?
NATHAN: Auch ihren Mund auf diesen Fleck zu drücken;
Denn Eure Knie selber zu umfassen,
Wünscht sie nun wohl vergebens.
TEMPELHERR: Aber, Jude –
Ihr heißet Nathan? – Aber, Nathan – Ihr
260 Setzt Eure Worte sehr – sehr gut – sehr spitz –
Ich bin betreten – Allerdings – ich hätte …
NATHAN: Stellt und verstellt Euch, wie Ihr wollt. Ich find
Auch hier Euch aus[3]. – Ihr wart zu gut, zu bieder[4]
Um höflicher zu sein. – Das Mädchen ganz
265 Gefühl, der weibliche Gesandte ganz

---

[1] hässlichen
[2] verbrannt
[3] Ich durchschaue Euch auch hier.
[4] rechtschaffen, edel

Dienstfertigkeit, der Vater weit entfernt –
Ihr trugt für ihren guten Namen Sorge,
Floht ihre Prüfung[1], floht, um nicht zu siegen.
Auch dafür dank ich Euch –

TEMPELHERR: Ich muss gestehn,
1270   Ihr wisst, wie Tempelherren denken sollten.

NATHAN: Nur Tempelherren? S o l l t e n bloß? und bloß
Weil es die Ordensregeln so gebieten?
Ich weiß, wie gute Menschen denken, weiß,
Dass alle Länder gute Menschen tragen.

TEMPELHERR: Mit Unterschied doch hoffentlich?

1275 NATHAN: Ja wohl!
An Farb, an Kleidung, an Gestalt verschieden.

TEMPELHERR: Auch hier bald mehr, bald weniger als dort.

NATHAN: Mit diesem Unterschied ist's nicht weit her.
Der große Mann braucht überall viel Boden,
1280   Und mehrere, zu nah gepflanzt, zerschlagen
Sich nur die Äste. Mittelgut wie wir,
Find't sich hingegen überall in Menge.
Nur muss der eine nicht den andern mäkeln[2].
Nur muss der Knorr den Knuppen[3] hübsch vertragen.
1285   Nur muss ein Gipfelchen[4] sich nicht vermessen,
Dass es allein der Erde nicht entschossen.

TEMPELHERR: Sehr wohl gesagt! – Doch kennt Ihr auch das
                                                        Volk,
Das diese Menschenmäkelei zuerst
Getrieben? Wisst Ihr, Nathan, welches Volk
1290   Zuerst das auserwählte Volk sich nannte?
Wie? Wenn ich dieses Volk nun zwar nicht hasste,
Doch wegen seines Stolzes zu verachten
Mich nicht entbrechen[5] könnte? Seines Stolzes,
Den es auf Christ und Muselmann vererbte,
1295   Nur sein Gott sei der rechte Gott! – Ihr stutzt,
Dass ich, ein Christ, ein Tempelherr, so rede?

---

[1] Ihr wolltet sie nicht in Versuchung bringen
[2] kleinlich kritisieren
[3] knorrige Verwachsungen am Baum
[4] Baumwipfel
[5] enthalten

Wenn hat und wo die fromme Raserei,
Den bessern Gott zu haben, diesen bessern
Der ganzen Welt als besten aufzudringen,
300 In ihrer schwärzesten Gestalt sich mehr
Gezeigt als hier, als itzt? Wem hier, wem itzt
Die Schuppen nicht vom Auge fallen ... Doch
Sei blind, wer will! – Vergesst, was ich gesagt,
Und lasst mich! (*Will gehen*)

NATHAN: Ha! Ihr wisst nicht, wie viel fester
305 Ich nun mich an Euch drängen werde. – Kommt,
Wir müssen, müssen Freunde sein! – Verachtet
Mein Volk, sosehr Ihr wollt! Wir haben beide
Uns unser Volk nicht auserlesen. Sind
Wir unser Volk? Was heißt denn Volk?
310 Sind Christ und Jude eher Christ und Jude
Als Mensch? Ah! wenn ich einen mehr in Euch
Gefunden hätte, dem es g'nügt ein Mensch
Zu heißen!

TEMPELHERR: Ja, bei Gott, das habt Ihr, Nathan!
Das habt Ihr! – Eure Hand! – Ich schäme mich
315 Euch einen Augenblick verkannt zu haben.

NATHAN: Und ich bin stolz darauf. Nur das Gemeine[1]
Verkennt man selten.

TEMPELHERR: Und das Seltene
Vergisst man schwerlich. – Nathan, ja,
Wir müssen, müssen Freunde werden.

NATHAN: Sind
320 Es schon. – Wie wird sich meine Recha freuen! –
Und, ah! welch eine heitre Ferne schließt
Sich meinen Blicken auf! – Kennt sie nur erst!

TEMPELHERR: Ich brenne vor Verlangen. – Wer stürzt dort
Aus euerm Hause: Ist's nicht Ihre Daja?

NATHAN: Jawohl. So ängstlich?

325 TEMPELHERR: Unsrer Recha ist
Doch nichts begegnet?

---
[1] das Gewöhnliche

Sechster Auftritt

Die Vorigen und Daja eilig

DAJA: Nathan! Nathan!
NATHAN: Nun?
DAJA: Verzeihet, edler Ritter, dass ich Euch
    Muss unterbrechen.
NATHAN: Nun, was ist's?
TEMPELHERR: Was ist's?
DAJA: Der Sultan hat geschickt. Der Sultan will
    Euch sprechen. Gott, der Sultan!
1330 NATHAN: Mich? Der Sultan?
    Er wird begierig sein zu sehen, was
    Ich Neues mitgebracht. Sag nur, es sei
    Noch wenig oder gar nichts ausgepackt.
    DAJA: Nein, nein! Er will nichts sehen, will Euch sprechen,
1335   Euch in Person, und bald, sobald Ihr könnt.
NATHAN: Ich werde kommen. – Geh nur wieder, geh!
DAJA: Nehmt ja nicht übel auf[1], gestrenger Ritter. –
    Gott, wir sind so bekümmert, was der Sultan
    Doch will.
NATHAN: Das wird sich zeigen. Geh nur, geh!

Siebenter Auftritt

Nathan und der Tempelherr

1340 TEMPELHERR: So kennt Ihr ihn noch nicht? – Ich meine von
    Person.
NATHAN: Den Saladin? Noch nicht. Ich habe
    Ihn nicht vermieden, nicht gesucht zu kennen.
    Der allgemeine Ruf sprach viel zu gut
    Von ihm, dass ich nicht lieber glauben wollte
1345   Als sehn. Doch nun – wenn anders dem so ist –
    Hat er durch Sparung Eures Lebens ...
TEMPELHERR: Ja,
    Dem allerdings ist so. Das Leben, das
    Ich leb, ist sein Geschenk.

---

[1] Passt auf, dass Euch nichts Schlimmes widerfährt ...

NATHAN: Durch das er mir
　　　　Ein doppelt, dreifach Leben schenkte. Dies
450　　Hat alles zwischen uns verändert, hat
　　　　Mit eins ein Seil mir umgeworfen, das
　　　　Mich seinem Dienst auf ewig fesselt. Kaum
　　　　Und kaum kann ich es nun erwarten, was
　　　　Er mir zuerst befehlen wird. Ich bin
455　　Bereit zu allem, bin bereit, ihm zu
　　　　Gestehn, dass ich es Euertwegen bin.
TEMPELHERR: Noch hab ich selber ihm nicht danken können,
　　　　Sooft ich auch ihm in den Weg getreten.
　　　　Der Eindruck, den ich auf ihn machte, kam
460　　So schnell, als schnell er wiederum verschwunden.
　　　　Wer weiß, ob er sich meiner gar erinnert.
　　　　Und dennoch muss er, einmal wenigstens,
　　　　Sich meiner noch erinnern, um mein Schicksal
　　　　Ganz zu entscheiden. Nicht genug, dass ich
465　　Auf sein Geheiß noch bin,　m i t　seinem Willen
　　　　Noch leb: ich muss nun auch von ihm erwarten,
　　　　N a c h　wessen Willen ich zu leben habe.
NATHAN: Nicht anders! umso mehr will ich nicht säumen.[1] –
　　　　Es fällt vielleicht ein Wort, das mir auf Euch
470　　Zu kommen Anlass gibt. – Erlaubt, verzeiht –
　　　　Ich eile – Wenn, wenn aber sehn wir Euch
　　　　Bei uns?
TEMPELHERR: Sobald ich darf.
NATHAN: 　　　　　　　　　Sobald Ihr wollt.
TEMPELHERR: Noch heut.
NATHAN: 　　　　　　　　Und Euer Name? – muss ich bitten.
TEMPELHERR: Mein Name war – ist Curd von Stauffen. –
　　　　Curd!
NATHAN: Von Stauffen? – Stauffen? – Stauffen?
75 TEMPELHERR: 　　　　　　　　　　　　　Warum fällt
　　　　Euch das so auf?
NATHAN: 　　　　　　Von Stauffen? – Des Geschlechts
　　　　Sind wohl schon mehrere ...
TEMPELHERR: 　　　　　　　　O ja! hier waren,
　　　　Hier faulen des Geschlechts schon mehrere.

---

[1]　zögern, sich verspäten

Mein Oheim selbst – mein Vater will ich sagen, –
1380 Doch warum schärft sich Euer Blick auf mich
Je mehr und mehr?
NATHAN: O nichts! O nichts! Wie kann
Ich Euch zu sehn ermüden?
TEMPELHERR: Drum verlass
Ich Euch zuerst. Der Blick des Forschers fand
Nicht selten mehr, als er zu finden wünschte.
1385 Ich fürcht ihn, Nathan. Lasst die Zeit allmählich
Und nicht die Neugier unsre Kundschaft[1] machen.
(Er geht.)
NATHAN: *(der ihm mit Erstaunen nachsieht)*
„Der Forscher fand nicht selten mehr, als er
Zu finden wünschte." – Ist es doch, als ob
In meiner Seel' er lese! – Wahrlich, ja.
1390 Das könnt auch mir begegnen. – Nicht allein
Wolfs Wuchs, Wolfs Gang: auch seine Stimme. So,
Vollkommen so warf Wolf sogar den Kopf,
Trug Wolf sogar das Schwert im Arm, strich Wolf
Sogar die Augenbrauen mit der Hand,
1395 Gleichsam das Feuer seines Blicks zu bergen. –
Wie solche tief geprägte Bilder doch
Zuzeiten in uns schlafen können, bis
Ein Wort, ein Laut, sie weckt! – Von Stauffen! –
Ganz recht, ganz recht, Filnek und Stauffen! –
1400 Ich will das bald genauer wissen, bald.
Nur erst zum Saladin! – Doch wie? lauscht dort
Nicht Daja? – Nun, so komm nur näher, Daja.

Achter Auftritt

Daja. Nathan

NATHAN: Was gilt's? Nun drückt's euch beiden schon das
Herz,
Noch ganz was anders zu erfahren, als
Was Saladin mir will.

---

[1] Bekanntschaft

405 DAJA: Verdenkt Ihr's ihr?
    Ihr fingt soeben an, vertraulicher
    Mit ihm zu sprechen, als des Sultans Botschaft
    Uns von dem Fenster scheuchte.
NATHAN: Nun, so sag
    Ihr nur, dass sie ihn jeden Augenblick
    Erwarten darf.
DAJA: Gewiss? Gewiss?
410 NATHAN: Ich kann
    Mich doch auf dich verlassen, Daja? Sei
    Auf deiner Hut, ich bitte dich. Es soll
    Dich nicht gereuen. Dein Gewissen selbst
    Soll seine Rechnung dabei finden. Nur
415 Verdirb mir nichts in meinem Plane. Nur
    Erzähl und frage mit Bescheidenheit,
    Mit Rückhalt[1] ...
DAJA: Dass Ihr doch noch erst so was
    Erinnern könnt! – Ich geh; geht Ihr nur auch.
    Denn seht! ich glaube gar, da kömmt vom Sultan
420 Ein zweiter Bot', Al-Hafi, Euer Derwisch.
    (Geht ab.)

Neunter Auftritt

Nathan. Al-Hafi

AL-HAFI: Ha! ha! zu Euch wollt ich nun eben wieder.
NATHAN: Ist's denn so eilig? Was verlangt er denn
    Von mir?
AL-HAFI: Wer?
NATHAN: Saladin. – Ich komm, ich komme.
AL-HAFI: Zu wem? Zum Saladin?
NATHAN: Schickt Saladin
    Dich nicht?
425 AL-HAFI: Mich? Nein. Hat er denn schon geschickt?
NATHAN: Ja, freilich hat er.
AL-HAFI: Nun, so ist es richtig.

---

[1] Zurückhaltung

NATHAN: Was? was ist richtig?
AL-HAFI: Dass ... ich bin nicht schuld!
    Gott weiß, ich bin nicht schuld. – Was hab ich nicht
    Von Euch gesagt, gelogen, um es abzuwenden!
NATHAN: Was abzuwenden? Was ist richtig?
1430 AL-HAFI: Dass
    Nun Ihr sein Defterdar[1] geworden. Ich
    Bedaur Euch. Doch mit ansehn will ich's nicht.
    Ich geh von Stund an; geh, Ihr habt es schon
    Gehört, wohin, und wisst den Weg. – Habt Ihr
1435 Des Wegs was zu bestellen, sagt: ich bin
    Zu Diensten. Freilich muss es mehr nicht sein,
    Als was ein Nackter mit sich schleppen kann.
    Ich geh, sagt bald ...
NATHAN: Besinn dich doch, Al-Hafi!
    Besinn dich, dass ich noch von gar nichts weiß!
    Was plauderst du denn da?
1440 AL-HAFI: Ihr bringt sie doch
    Gleich mit, die Beutel?
NATHAN: Beutel?
AL-HAFI: Nun, das Geld,
    Das Ihr dem Saladin vorschießen sollt.
NATHAN: Und weiter ist es nichts?
AL-HAFI: Ich sollt es wohl
    Mit ansehn, wie er Euch von Tag zu Tag
1445 Aushöhlen wird bis auf die Zehen? Sollt
    Es wohl mit ansehn, dass Verschwendung aus
    Der weisen Milde sonst nie leeren Scheuern[2]
    So lange borgt und borgt und borgt, bis auch
    Die armen eingebornen Mäuschen drin
1450 Verhungern? – Bildet Ihr vielleicht Euch ein,
    Wer Euers Gelds bedürftig sei, der werde
    Doch Euerm Rate wohl auch folgen? – Ja,
    Er Rate folgen! Wenn hat Saladin
    Sich raten lassen? – Denkt nur, Nathan, was
1455 Mir eben itzt mit ihm begegnet.

---

[1] Schatzmeister, Zahlmeister
[2] Scheune

NATHAN: Nun?

AL-HAFI: Da komm ich zu ihm, eben dass er Schach
      Gespielt mit seiner Schwester, Sittah spielt
      Nicht übel, und das Spiel, das Saladin
      Verloren glaubte, gegeben hatte,
160   Das stand noch ganz so da. Ich seh Euch hin
      Und sehe, dass das Spiel noch lange nicht
      Verloren.

NATHAN: Ei! das war für dich ein Fund!

AL-HAFI: Er durfte mit dem König an den Bauer
      Nur rücken, auf ihr Schach. – Wenn ich's Euch gleich
      Nur zeigen könnte!

165 NATHAN: O, ich traue dir!

AL-HAFI: Denn so bekam der Roche[1] Feld: und sie
      War hin. – Das alles will ich ihm nun weisen
      Und ruf ihn. – Denkt! ...

NATHAN: Er ist nicht deiner Meinung?

AL-HAFI: Er hört mich gar nicht an und wirft verächtlich
      Das ganze Spiel in Klumpen.

170 NATHAN: Ist das möglich?

AL-HAFI: Und sagt: er wolle matt nun einmal sein!
      Er wolle! Heißt das spielen?

NATHAN: Schwerlich wohl.
      Heißt mit dem Spiele spielen?

AL-HAFI: Gleichwohl galt
      Es keine taube Nuss.

NATHAN: Geld hin, Geld her!
175   Das ist das Wenigste. Allein dich gar
      Nicht anzuhören! Über einen Punkt
      Von solcher Wichtigkeit dich nicht einmal
      Zu hören! Deinen Adlerblick nicht zu
      Bewundern! Das, das schreit um Rache: nicht?

180 AL-HAFI: Ach was? Ich sag Euch das nur so, damit
      Ihr sehen könnt, was für ein Kopf er ist.
      Kurz, ich, ich halt's mit ihm nicht länger aus.
      Da lauf ich nun bei allen schmutz'gen Mohren
      Herum und frage, wer ihm borgen will.
185   Ich, der ich nie für mich gebettelt habe,

---

[1] Turm beim Schachspiel

Soll nun für andre borgen. Borgen ist
Viel besser nicht als betteln: so wie leihen,
Auf Wucher leihen, nicht viel besser ist
Als stehlen. Unter meinen Ghebern[1], an
1490   Dem Ganges, brauch ich beides nicht und brauche
Das Werkzeug beider nicht zu sein. Am Ganges,
Am Ganges nur gibt's Menschen. Hier seid Ihr
Der Einzige, der noch so würdig wäre,
Dass er am Ganges lebte. – Wollt Ihr mit? –
1495   Lasst ihm mit eins den Plunder ganz im Stiche,
Um den es ihm zu tun. Er bringt Euch nach
Und nach doch drum. So wär' die Plackerei
Auf einmal aus. Ich schaff Euch einen Delk[2].
Kommt! kommt!

NATHAN: Ich dächte zwar, das blieb uns ja
1500   Noch immer übrig. Doch, Al-Hafi, will
Ich's überlegen. Warte ...

AL-HAFI: Überlegen?
Nein, so was überlegt sich nicht.

NATHAN: Nur bis
Ich von dem Sultan wiederkomme, bis
Ich Abschied erst ...

AL-HAFI: Wer überlegt, der sucht
1505   Bewegungsgründe, nicht zu dürfen. Wer
Sich Knall und Fall, ihm selbst zu leben, nicht
Entschließen kann, der lebet andrer Sklav'
Auf immer. – Wie Ihr wollt! – Lebt wohl! wie's Euch
Wohl dünkt. – Mein Weg liegt dort und Eurer da.

1510 NATHAN: Al-Hafi! Du wirst selbst doch erst das Deine
Berichtigen[3]?

AL-HAFI: Ach, Possen! Der Bestand
Von meiner Kass ist nicht des Zählens wert,
Und meine Rechnung bürgt[4] – Ihr oder Sittah.
Lebt wohl! (*Ab*)

---

[1]   persische Sekte von Feueranbetern, die Lessing mit den Brahma-
      nen am Ganges verwechselt
[2]   Kleidung des Derwisch
[3]   ordnen
[4]   für meine Rechnungen bürgt, verbürgt sich

NATHAN: (*ihm nachsehend*) Die bürg ich! – Wilder, guter,
edler –

515 Wie nenn ich ihn? – Der wahre Bettler ist
Doch einzig und allein der wahre König!
(*Von einer andern Seite ab*)

Dritter Aufzug

Erster Auftritt

Szene: in Nathans Hause
Recha und Daja

RECHA: Wie, Daja, drückte sich mein Vater aus?
„Ich dürf ihn jeden Augenblick erwarten?"
Das klingt – nicht wahr? – als ob er noch so bald
1520 Erscheinen werde. – Wie viel Augenblicke
Sind aber schon vorbei! – Ah nun: wer denkt
An die verflossenen? – Ich will allein
In jedem nächsten Augenblicke leben.
Er wird doch einmal kommen, der ihn bringt.
1525 DAJA: O der verwünschten Botschaft von dem Sultan!
Denn Nathan hätte sicher ohne sie
Ihn gleich mit hergebracht.
RECHA: Und wenn er nun
Gekommen, dieser Augenblick, wenn denn
Nun meiner Wünsche wärmster, innigster
Erfüllet ist: was dann? – was dann?
1530 DAJA: Was dann?
Dann hoff ich, dass auch meiner Wünsche wärmster
Soll in Erfüllung gehen.
RECHA: Was wird dann
In meiner Brust an dessen Stelle treten,
Die schon verlernt, ohn' einen herrschenden
1535 Wunsch aller Wünsche sich zu dehnen? – Nichts?
Ah, ich erschrecke! ...
DAJA: Mein, mein Wunsch wird dann
An des erfüllten Stelle treten, meiner.
Mein Wunsch, dich in Europa, dich in Händen
Zu wissen, welche deiner würdig sind.
1540 RECHA: Du irrst. – Was diesen Wunsch zu deinem macht,
Das nämliche verhindert, dass er meiner
Je werden kann. Dich zieht dein Vaterland:
Und meines, meines sollte mich nicht halten?
Ein Bild der Deinen, das in deiner Seele
1545 Noch nicht verloschen, sollte mehr vermögen,

Als die ich sehn und greifen kann und hören,
Die Meinen?

DAJA: Sperre dich, soviel du willst!
Des Himmels Wege sind des Himmels Wege.
Und wenn es nun dein Retter selber wäre,
550 Durch den sein Gott, für den er kämpft, dich in
Das Land, dich zu dem Volke führen wollte,
Für welche du geboren wurdest?

RECHA: Daja!
Was sprichst du da nun wieder, liebe Daja!
Du hast doch wahrlich deine sonderbaren
555 Begriffe! „Sein, sein Gott! für den er kämpft!"
Wem eignet[1] Gott? was ist das für ein Gott,
Der einem Menschen eignet? der für sich
Muss kämpfen lassen? – Und wie weiß
Man denn, f ü r welchen Erdkloß man geboren,
560 Wenn man's für den nicht ist, a u f welchem man
Geboren? – Wenn mein Vater dich so hörte! –
Was tat er dir, mir immer nur mein Glück
So weit von ihm als möglich vorzuspiegeln?
Was tat er dir, den Samen der Vernunft,
565 Den er so rein in meine Seele streute,
Mit deines Landes Unkraut oder Blumen
So gern zu mischen? – Liebe, liebe Daja,
Er will nun deine bunten Blumen nicht
Auf meinem Boden! – Und ich muss dir sagen,
570 Ich selber fühle meinen Boden, wenn
Sie noch so schön ihn kleiden, so entkräftet,
So ausgezehrt durch deine Blumen, fühle
In ihrem Dufte, sauersüßem Dufte,
Mich so betäubt, so schwindelnd! – Dein Gehirn
575 Ist dessen mehr gewohnt. Ich tadle drum
die stärkern Nerven nicht, die ihn vertragen.
Nur schlägt er mir nicht zu[2], und schon dein Engel,
Wie wenig fehlte, dass er mich zur Närrin
Gemacht? – Noch schäm ich mich vor meinem Vater
Der Posse!

---

[1] gehört
[2] vertrage ich ihn (den Duft) nicht

1580 DAJA: Posse! – Als ob der Verstand
     Nur hier zu Hause wäre! Posse! Posse!
     Wenn ich nur reden dürfte!
     RECHA: Darfst du nicht?
     Wenn war ich nicht ganz Ohr, sooft es dir
     Gefiel, von deinen Glaubenshelden mich
1585 Zu unterhalten? Hab ich ihren Taten
     Nicht stets Bewunderung und ihren Leiden
     Nicht immer Tränen gern gezollt? Ihr Glaube
     Schien freilich mir das Heldenmäßigste
     An ihnen nie. Doch so viel tröstender
1590 War mir die Lehre, dass Ergebenheit
     In Gott von unserm Wähnen[1] über Gott
     So ganz und gar nicht abhängt. – Liebe Daja,
     Das hat mein Vater uns so oft gesagt;
     Darüber hast du selbst mit ihm so oft
1595 Dich einverstanden; warum untergräbst
     Du denn allein, was du mit ihm zugleich
     Gebauet? – Liebe Daja, das ist kein
     Gespräch, womit wir unserm Freund am besten
     Entgegensehn. Für mich zwar, ja! Denn mir,
1600 Mir liegt daran unendlich, ob auch er …
     Horch, Daja! – Kommt es nicht an unsre Türe!
     Wenn Er es wäre! Horch!

Zweiter Auftritt

Recha. Daja und der Tempelherr, dem jemand von
außen die Türe öffnet mit den Worten:

                          Nur hier herein!
RECHA: *(fährt zusammen, fasst sich und will ihm zu Füßen*
     fallen)
     Er ist's! – Mein Retter, ah!
TEMPELHERR: Dies zu vermeiden,
     Erschien ich bloß so spät: und doch –

---

[1]   Meinen, Vermuten

RECHA: Ich will
05   Ja zu den Füßen dieses stolzen Mannes
      Nur Gott noch einmal danken, nicht dem Manne.
      Der Mann will keinen Dank, will ihn so wenig,
      Als ihn der Wassereimer will, der bei
      Dem Löschen so geschäftig sich erwiesen.
10   Der ließ sich füllen, ließ sich leeren, mir
      Nichts, dir nichts: also auch der Mann. Auch der
      Ward nun so in die Glut hineingestoßen;
      Da fiel ich ungefähr ihm in die Arm;
      Da blieb ich ungefähr so wie ein Funken
15   Auf seinem Mantel ihm in seinen Armen,
      Bis wiederum, ich weiß nicht was, uns beide
      Herausschmiss aus der Glut. – Was gibt es da
      Zu danken? – In Europa treibt der Wein
      Zu noch weit andern Taten. – Tempelherren,
20   Die müssen einmal nun so handeln, müssen
      Wie etwas besser zugelernte[1] Hunde
      Sowohl aus Feuer als aus Wasser holen.
TEMPELHERR: *(der sie mit Erstaunen und Unruhe die ganze*
      Zeit über betrachtet) O Daja, Daja! Wenn in Augen-
                                                   blicken
      Des Kummers und der Galle meine Laune
25   Dich übel anließ, warum jede Torheit,
      Die meiner Zung' entfuhr, ihr hinterbringen?
      Das hieß: sich zu empfindlich rächen, Daja!
      Doch wenn du nur von nun an besser mich
      Bei ihr vertreten willst!
DAJA: Ich denke, Ritter,
30   Ich denke nicht, dass diese kleinen Stacheln,
      Ihr an das Herz geworfen, Euch da sehr
      Geschadet haben.
RECHA: Wie? Ihr hattet Kummer?
      Und wart mit Euerm Kummer geiziger
      Als Euerm Leben?
TEMPELHERR: Gutes, holdes Kind! –
35   Wie ist doch meine Seele zwischen Auge
      Und Ohr geteilt! – Das war das Mädchen nicht,

---

[1] dressierte

Nein, nein, das war es nicht, das aus dem Feuer
Ich holte. – Denn wer hätte die gekannt
Und aus dem Feuer nicht geholt? Wer hätte
1640 Auf mich gewartet? – Zwar – verstellt – der Schreck
(Pause, unter der er in Anschauung ihrer sich wie verliert)
RECHA: Ich aber find euch noch den Nämlichen. –
(Dergleichen, bis sie fortfährt, um ihn in seinem Anstaunen zu unterbrechen)
Nun, Ritter, sagt uns doch, wo Ihr so lange
Gewesen? – Fast dürft ich auch fragen, wo
Ihr itzo seid?
TEMPELHERR: Ich bin, – wo ich vielleicht
Nicht sollte sein.
1645 RECHA: Wo Ihr gewesen? – Auch
Wo Ihr vielleicht nicht solltet sein gewesen?
Das ist nicht gut.
TEMPELHERR: Auf – auf – wie heißt der Berg?
Auf Sinai.
RECHA: Auf Sinai?[1] – Ah schön!
Nun kann ich zuverlässig doch einmal
Erfahren, ob es wahr ...
1650 TEMPELHERR: Was? was? Ob's wahr,
Dass noch daselbst der Ort zu sehn, wo Moses
Vor Gott gestanden, als ...
RECHA: Nun, das wohl nicht;
Denn wo er stand, stand er vor Gott. Und davon
Ist mir zur G'nüge schon bekannt. – Ob's wahr,
1655 Möcht ich nur gern von Euch erfahren, dass –
Dass es bei Weitem nicht so mühsam sei,
Auf diesen Berg hinaufzusteigen als
Herab? – Denn seht, soviel ich Berge noch
Gestiegen bin, war's just das Gegenteil. –
1660 Nun, Ritter? – Was? – Ihr kehrt Euch von mir ab?
Wollt mich nicht sehn?
TEMPELHERR: Weil ich Euch hören will.
RECHA: Weil Ihr mich nicht wollt merken lassen, dass
Ihr meiner Einfalt lächelt, dass Ihr lächelt,

---

[1] Gebirgsmassiv, auf dem Gott Moses erschienen sein soll

Wie ich Euch doch so gar nichts Wichtigers
65 Von diesem heiligen Berg aller Berge
Zu fragen weiß? Nicht wahr?
TEMPELHERR: So muss
Ich doch Euch wieder in die Augen sehn. –
Was? Nun schlagt Ihr sie nieder? nun verbeißt
Das Lächeln Ihr? wie ich noch erst in Mienen,
70 In zweifelhaften Mienen lesen will,
Was ich so deutlich hör, Ihr so vernehmlich
Mir sagt – verschweigt? – Ah Recha! Recha! Wie
Hat er so wahr gesagt: „Kennt sie nur erst!"
RECHA: Wer hat? – von wem? – Euch das gesagt?
TEMPELHERR: „Kennt sie
75 Nur erst!", hat Euer Vater mir gesagt,
Von Euch gesagt.
DAJA: Und ich nicht etwa auch?
Ich denn nicht auch?
TEMPELHERR: Allein wo ist er denn?
Wo ist denn Euer Vater? Ist er noch
Beim Sultan?
RECHA: Ohne Zweifel.
TEMPELHERR: Noch, noch da? –
80 O mich Vergesslichen! Nein, nein; da ist
Er schwerlich mehr. – Er wird dort unten bei
Dem Kloster meiner warten, ganz gewiss.
So red'ten, mein ich, wir es ab. Erlaubt!
Ich geh, ich hol ihn ...
DAJA: Das ist meine Sache.
85 Bleibt, Ritter, bleibt. Ich bring ihn unverzüglich.
TEMPELHERR: Nicht so, nicht so! Er sieht mir selbst entgegen,
Nicht euch. Dazu, er könnte leicht, ... wer weiß? –
Er könnte bei dem Sultan leicht, – Ihr kennt
Den Sultan nicht! – leicht in Verlegenheit
90 Gekommen sein. – Glaubt mir, es hat Gefahr,
Wenn ich nicht geh.
RECHA: Gefahr? Was für Gefahr?
TEMPELHERR: Gefahr für mich, für Euch, für ihn, wenn ich
Nicht schleunig, schleunig geh. (*Ab*)

Dritter Auftritt

Recha und Daja

RECHA: Was ist das, Daja? –
So schnell? – Was kömmt ihm an?[1] Was fiel ihm auf?
Was jagt ihn?

1695 DAJA: Lasst nur, lasst. Ich denk, es ist
Kein schlimmes Zeichen.

RECHA: Zeichen? Und wovon?

DAJA: Dass etwas vorgeht innerhalb. Es kocht
Und soll nicht überkochen. Lasst ihn nur,
Nun ist's an Euch.

RECHA: Was ist an mir? Du wirst
Wie er mir unbegreiflich.

1700 DAJA: Bald nun könnt
Ihr ihm die Unruh all vergelten, die
Er Euch gemacht hat. Seid nur aber auch
Nicht allzu streng, nicht allzu rachbegierig.

RECHA: Wovon du sprichst, das magst du selber wissen.

1705 DAJA: Und seid denn Ihr bereits so ruhig wieder?

RECHA: Das bin ich, ja, das bin ich ...

DAJA: Wenigstens
Gesteht, dass Ihr Euch seiner Unruh freut
Und seiner Unruh danket, was Ihr itzt
Von Ruh genießt.

RECHA: Mir völlig unbewusst!
1710 Denn was ich höchstens dir gestehen könnte,
Wär, dass es mich – mich selbst befremdet, wie
Auf einen solchen Sturm in meinem Herzen
So eine Stille plötzlich folgen könne.
Sein voller Anblick, sein Gespräch, sein Tun
Hat mich ...

DAJA: Gesättigt schon?

1715 RECHA: Gesättigt will
Ich nun nicht sagen, nein – bei Weitem nicht –

DAJA: Den heißen Hunger nur gestillt.

RECHA: Nun ja,
Wenn du so willst.

---

[1] Was geschieht mit ihm?

DAJA: Ich eben nicht.
RECHA: Er wird
   Mir ewig wert, mir ewig werter als
20   Mein Leben bleiben: wenn auch schon mein Puls
   Nicht mehr bei seinem bloßen Namen wechselt,
   Nicht mehr mein Herz, sooft ich an ihn denke,
   Geschwinder, stärker schlägt. – Was schwatz ich? Komm,
   Komm, liebe Daja, wieder an das Fenster,
   Das auf die Palmen sieht!
25 DAJA: So ist er doch
   Wohl noch nicht ganz gestillt, der heiße Hunger.
RECHA: Nun werd ich auch die Palmen wieder sehn:
   Nicht ihn bloß untern Palmen.
DAJA: Diese Kälte
   Beginnt auch wohl ein neues Fieber nur.
30 RECHA: Was Kält'? Ich bin nicht kalt. Ich sehe wahrlich
   Nicht minder gern, was ich mit Ruhe sehe.

Vierter Auftritt

Szene: ein Audienzsaal in dem Palaste des Saladin
Saladin und Sittah

SALADIN: (*im Hereintreten gegen die Türe*)
   Hier bringt den Juden her, sobald er kömmt.
   Er scheint sich eben nicht zu übereilen.
SITTAH: Er war auch wohl nicht bei der Hand, nicht gleich
   Zu finden.
SALADIN: Schwester! Schwester!
35 SITTAH: Tust du doch,
   Als stünde dir ein Treffen vor.
SALADIN: Und das
   Mit Waffen, die ich nicht gelernt zu führen.
   Ich soll mich stellen[1], soll besorgen lassen[2],
   Soll Fallen legen, soll auf Glatteis führen.
40   Wenn hätt ich das gekonnt? Wo hätt ich das
   Gelernt? – Und soll das alles, ah, wozu?

---

[1] verstellen
[2] Sorge, Angst erzeugen

Wozu? – Um Geld zu fischen! Geld! – Um Geld,
Geld einem Juden abzubangen[1]! Geld!
Zu solchen kleinen Listen wär ich endlich
1745 Gebracht, der Kleinigkeiten kleinste mir
Zu schaffen?

SITTAH: Jede Kleinigkeit, zu sehr
Verschmäht, die rächt sich, Bruder.

SALADIN: Leider wahr. –
Und wenn nun dieser Jude gar der gute,
Vernünft'ge Mann ist, wie der Derwisch dir
Ihn ehedem beschrieben?

1750 SITTAH: O, nun dann!
Was hat es dann für Not! Die Schlinge liegt
Ja nur dem geizigen, besorglichen,
Furchtsamen Juden: nicht dem guten, nicht
Dem weisen Manne. Dieser ist ja so
1755 Schon unser, ohne Schlinge. Das Vergnügen
Zu hören, wie ein solcher Mann sich ausred't;
Mit welcher dreisten Stärk' entweder er
Die Stricke kurz zerreißet, oder auch
Mit welcher schlauen Vorsicht er die Netze
1760 Vorbei sich windet[2]: dies Vergnügen hast
Du obendrein.

SALADIN: Nun, das ist wahr. Gewiss,
Ich freue mich darauf.

SITTAH: So kann dich ja
Auch weiter nichts verlegen machen; denn
Ist's einer aus der Menge bloß, ist's bloß
1765 Ein Jude wie ein Jude: gegen den
Wirst du dich doch nicht schämen, so zu scheinen,
Wie er die Menschen all sich denkt? Vielmehr,
Wer sich ihm besser zeigt, der zeigt sich ihm
Als Geck, als Narr.

SALADIN: So muss ich ja wohl gar
1770 Schlecht handeln, dass von mir der Schlechte nicht
Schlecht denke?

---

[1] durch Einschüchterung bekommen
[2] sich an den Netzen vorbeiwindet

SITTAH: Traun![1] wenn du schlecht handeln nennst,
Ein jedes Ding nach seiner Art zu brauchen.
SALADIN: Was hätt ein Weiberkopf erdacht, das er
Nicht zu beschönen wüsste!
SITTAH: Zu beschönen!
75 SALADIN: Das feine, spitze Ding, besorg ich nur,
In meiner plumpen Hand zerbricht! – So was
Will ausgeführt sein, wie's erfunden ist:
Mit aller Pfiffigkeit, Gewandtheit. – Doch,
Mag's doch nur, mag's! Ich tanze, wie ich kann,
80 Und könnt es freilich lieber – schlechter[2] noch
Als besser.
SITTAH: Trau dir auch nicht zu wenig!
Ich stehe dir für dich![3] Wenn du nur willst. –
Dass uns die Männer deinesgleichen doch
So gern bereden möchten, nur ihr Schwert,
85 Ihr Schwert nur habe sie so weit gebracht.
Der Löwe schämt sich freilich, wenn er mit
Dem Fuchse jagt: – des Fuchses, nicht der List.
SALADIN: Und dass die Weiber doch so gern den Mann
Zu sich herunter hätten! – Geh nur, geh!
90 Ich glaube, meine Lektion zu können.
SITTAH: Was? Ich soll gehn?
SALADIN: Du wolltest doch nicht bleiben?
SITTAH: Wenn auch nicht bleiben ... im Gesicht Euch bleiben –
Doch hier im Nebenzimmer –
SALADIN: Da zu horchen?
Auch das nicht, Schwester, wenn ich soll bestehn. –
95 Fort, fort! der Vorhang rauscht; er kömmt! – doch dass
Du ja nicht da verweilst! Ich sehe nach.
*(Indem sie sich durch die eine Tür entfernt, tritt Nathan
zu der andern herein, und Saladin hat sich gesetzt)*

---

[1] wahrhaftig! fürwahr!
[2] und möchte es lieber schlechter können
[3] Ich traue es dir zu, stehe auf deiner Seite!

Fünfter Auftritt

Saladin und Nathan

SALADIN: Tritt näher, Jude! – Näher! – Nur ganz her!
　　Nur ohne Furcht!
NATHAN:　　　　　Die bleibe deinem Feinde!
SALADIN: Du nennst dich Nathan?
NATHAN:　　　　　　　　Ja.
SALADIN:　　　　　　　　　　Den weisen Nathan?
NATHAN: Nein.
1800 SALADIN:　Wohl! Nennst du dich nicht, nennt dich das Volk!
NATHAN: Kann sein, das Volk!
SALADIN:　　　　　　Du glaubst doch nicht, dass ich
　　Verächtlich von des Volkes Stimme denke? –
　　Ich habe längst gewünscht den Mann zu kennen,
　　Den es den Weisen nennt.
NATHAN:　　　　　　　　Und wenn es ihn
1805　Zum Spott so nennte? Wenn dem Volke weise
　　Nichts weiter wär als klug? Und klug nur der,
　　Der sich auf seinen Vorteil gut versteht?
SALADIN: Auf seinen wahren Vorteil, meinst du doch?
NATHAN: Dann freilich wär der Eigennützigste
1810　Der Klügste. Dann wär freilich klug und weise
　　Nur eins.
SALADIN:　Ich höre dich erweisen[1], was
　　Du widersprechen willst. – Des Menschen wahre
　　Vorteile, die das Volk nicht kennt, kennst du,
　　Hast du zu kennen wenigstens gesucht,
1815　Hast drüber nachgedacht: das auch allein
　　Macht schon den Weisen.
NATHAN:　　　　　　　　Der sich jeder dünkt
　　Zu sein.
SALADIN:　Nun der Bescheidenheit genug!
　　Denn sie nur immerdar zu hören, wo
　　Man trockene Vernunft erwartet, ekelt.
　　(*Er springt auf*)
1820　Lass uns zur Sache kommen! Aber, aber
　　Aufrichtig, Jud', aufrichtig!

---

[1]　beweisen

NATHAN: Sultan, ich
  Will sicherlich dich so bedienen, dass
  Ich deiner fernern Kundschaft[1] würdig bleibe.
SALADIN: Bedienen? wie?
NATHAN: Du sollst das Beste haben
25 Von allem, sollst es um den billigsten
  Preis haben.
SALADIN: Wovon sprichst du? Doch wohl nicht
  Von deinen Waren? – Schachern[2] wird mit dir
  Schon meine Schwester. (Das der Horcherin!) –
  Ich habe mit dem Kaufmann nichts zu tun.
30 NATHAN: So wirst du ohne Zweifel wissen wollen,
  Was ich auf meinem Wege von dem Feinde,
  Der allerdings sich wieder reget, etwa
  Bemerkt, getroffen? – Wenn ich unverhohlen ...
SALADIN: Auch darauf bin ich eben nicht mit dir
35 Gesteuert. Davon weiß ich schon, so viel
  Ich nötig habe. – Kurz; –
NATHAN: Gebiete, Sultan.
SALADIN: Ich heische deinen Unterricht in ganz
  Was anderm, ganz was anderm. – Da du nun
  So weise bist: so sage mir doch einmal –
40 Was für ein Glaube, was für ein Gesetz
  Hat dir am meisten eingeleuchtet?
NATHAN: Sultan,
  Ich bin ein Jud'.
SALADIN: Und ich ein Muselmann.
  Der Christ ist zwischen uns. – Von diesen drei
  Religionen kann doch eine nur
45 Die wahre sein. – Ein Mann wie du bleibt da
  Nicht stehen, wo der Zufall der Geburt
  Ihn hingeworfen, oder wenn er bleibt,
  Bleibt er aus Einsicht, Gründen, Wahl des Bessern.
  Wohlan! so teile deine Einsicht mir
50 Dann mit! Lass mich die Gründe hören, denen
  Ich selber nachzugrübeln nicht die Zeit
  Gehabt! Lass mich die Wahl, die diese Gründe

---

[1] Bekanntschaft
[2] um den Preis feilschen

Bestimmt, – versteht sich, im Vertrauen – wissen,
Damit ich sie zu meiner mache. – Wie?
1855 Du stutzest? wägst[1] mich mit dem Auge? – Kann
Wohl sein, dass ich der erste Sultan bin,
Der eine solche Grille[2] hat, die mich
Doch eines Sultans eben nicht so ganz
Unwürdig dünkt. – Nicht wahr? – So rede doch!
1860 Sprich! – Oder willst du einen Augenblick,
Dich zu bedenken? Gut, ich geb ihn dir. –
(Ob sie wohl horcht? Ich will sie doch belauschen,
Will hören, ob ich's recht gemacht. –) Denk nach!
Geschwind, denk nach! Ich säume nicht, zurück-
Zukommen.
*(Er geht in das Nebenzimmer, nach welchem sich
Sittah begeben)*

Sechster Auftritt

1865 NATHAN: *(allein)* Hm! hm! – Wunderlich! – Wie ist
Mir denn? – Was will der Sultan? Was? – Ich bin
Auf Geld gefasst, und er will – Wahrheit. Wahrheit!
Und will sie so, – so bar, so blank, – als ob
Die Wahrheit Münze wäre! – Ja, wenn noch
1870 Uralte Münze, die gewogen ward! –
Das ginge noch! Allein so neue Münze,
Die nur der Stempel macht, die man aufs Brett
Nur zählen darf, das ist sie doch nun nicht!
Wie Geld in Sack, so striche man in Kopf
1875 Auch Wahrheit ein? Wer ist denn hier der Jude?
Ich oder er? – Doch wie? Sollt er auch wohl
Die Wahrheit nicht in Wahrheit fodern[3]? – Zwar,
Zwar der Verdacht, dass er die Wahrheit nur
Als Falle brauche, wär auch gar zu klein! –
1880 Zu klein? – Was ist für einen Großen denn
Zu klein? – Gewiss, gewiss: er stürzte mit

---

[1] prüfst
[2] fixe Idee
[3] fordern

Der Türe so ins Haus! Man pocht doch, hört
Doch erst, wenn man als Freund sich naht. – Ich muss
Behutsam gehn! – Und wie? wie das? – So ganz
85 Stockjude[1] sein zu wollen, geht schon nicht. –
Und ganz und gar nicht Jude, geht noch minder.
Denn, wenn kein Jude, dürft er mich nur fragen,
Warum kein Muselmann? – Das war's! Das kann
Mich retten! – Nicht die Kinder bloß speist man
90 Mit Märchen ab. – Er kömmt. Er komme nur!

Siebter Auftritt

Saladin und Nathan

SALADIN: (So ist das Feld hier rein!) – Ich komm dir doch
Nicht zu geschwind zurück? Du bist zu Rande
Mit deiner Überlegung. – Nun, so rede!
Es hört uns keine Seele.

NATHAN: Möcht auch doch
Die ganze Welt uns hören.

95 SALADIN: So gewiss
Ist Nathan seiner Sache? Ha! das nenn
Ich einen Weisen! Nie die Wahrheit zu
Verhehlen, für sie alles auf das Spiel
Zu setzen! Leib und Leben! Gut und Blut!

NATHAN: Ja! Ja! wann's nötig ist und nutzt.

100 SALADIN: Von nun
An darf ich hoffen, einen meiner Titel,
Verbesserer der Welt und des Gesetzes,
Mit Recht zu führen.

NATHAN: Traun[2], ein schöner Titel!
Doch Sultan, eh ich mich dir ganz vertraue,
105 Erlaubst du wohl, dir ein Geschichtchen zu
Erzählen?

SALADIN: Warum das nicht? Ich bin stets
Ein Freund gewesen von Geschichten, gut
Erzählt.

---

[1] in besonderer Weise dem Bild eines Juden entsprechend
[2] wahrhaftig, fürwahr

NATHAN: Ja, g u t erzählen, das ist nun
    Wohl eben meine Sache nicht.
SALADIN: Schon wieder
1910   So stolz bescheiden? – Mach! Erzähl, erzähle!
NATHAN: Vor grauen Jahren lebt' ein Mann in Osten[1],
    Der einen Ring von unschätzbarem Wert
    Aus lieber Hand besaß. Der Stein war ein
    Opal[2], der hundert schöne Farben spielte,
1915   Und hatte die geheime Kraft, vor Gott
    Und Menschen angenehm zu machen, wer
    In dieser Zuversicht ihn trug. Was Wunder,
    Dass ihn der Mann in Osten darum nie
    Vom Finger ließ und die Verfügung traf,
1920   Auf ewig ihn bei seinem Hause zu
    Erhalten? Nämlich so. Er ließ den Ring
    Von seinen Söhnen dem geliebtesten
    Und setzte fest, dass dieser wiederum
    Den Ring von seinen Söhnen dem vermache,
1925   Der ihm der liebste sei, und stets der liebste,
    Ohn' Ansehn der Geburt, in Kraft allein
    Des Rings[3], das Haupt, der Fürst des Hauses werde. –
    Versteh mich, Sultan.
SALADIN: Ich versteh dich. Weiter!
NATHAN: So kam nun dieser Ring, von Sohn zu Sohn,
1930   Auf einen Vater endlich von drei Söhnen,
    Die alle drei ihm gleich gehorsam waren,
    Die alle drei er folglich gleich zu lieben
    Sich nicht entbrechen[4] konnte. Nur von Zeit
    Zu Zeit schien ihm bald der, bald dieser, bald
1935   Der Dritte, – so wie jeder sich mit ihm
    Allein befand, und sein ergießend Herz
    Die andern zwei nicht teilten, – würdiger
    Des Ringes, den er denn auch einem jeden
    Die fromme Schwachheit hatte zu versprechen.
1940   Das ging nun so, solang es ging. – Allein

---

[1] im Orient
[2] Halbedelstein
[3] allein dank des Rings, durch den Ring
[4] sich ... enthalten

Es kam zum Sterben, und der gute Vater
Kömmt in Verlegenheit. Es schmerzt ihn, zwei
Von seinen Söhnen, die sich auf sein Wort
Verlassen, so zu kränken. – Was zu tun? –
045 Er sendet in geheim[1] zu einem Künstler,
Bei dem er nach dem Muster seines Ringes
Zwei andere bestellt und weder Kosten
Noch Mühe sparen heißt, sie jenem gleich,
Vollkommen gleich zu machen. Das gelingt
050 Dem Künstler. Da er ihm die Ringe bringt,
Kann selbst der Vater seinen Musterring
Nicht unterscheiden. Froh und freudig ruft
Er seine Söhne, jeden insbesondre,
Gibt jedem insbesondre seinen Segen –
055 Und seinen Ring – und stirbt. – Du hörst doch, Sultan?

SALADIN: (*der sich betroffen von ihm gewandt*)
Ich hör, ich höre! – Komm mit deinem Märchen
Nur bald zu Ende. – Wird's?

NATHAN: Ich bin zu Ende;
Denn was noch folgt, versteht sich ja von selbst. –
Kaum war der Vater tot, so kömmt ein jeder
060 Mit seinem Ring, und jeder will der Fürst
Des Hauses sein. Man untersucht, man zankt,
Man klagt. Umsonst: Der rechte Ring war nicht
Erweislich. –
(*Nach einer Pause, in welcher er des Sultans Antwort
erwartet*)
             Fast so unerweislich als
Uns itzt – der rechte Glaube.

SALADIN: Wie? Das soll
Die Antwort sein auf meine Frage? ...

065 NATHAN: Soll
Mich bloß entschuldigen, wenn ich die Ringe
Mir nicht getrau zu unterscheiden, die
Der Vater in der Absicht machen ließ,
Damit sie nicht zu unterscheiden wären.

070 SALADIN: Die Ringe! – Spiele nicht mit mir! – Ich dächte,
Dass die Religionen, die ich dir

---

[1]   heimlich

Genannt, doch wohl zu unterscheiden wären.
Bis auf die Kleidung, bis auf Speis und Trank!
NATHAN: Und nur von Seiten ihrer Gründe nicht. –
1975 Denn gründen alle sich nicht auf Geschichte?
Geschrieben oder überliefert! – Und
Geschichte muss doch wohl allein auf Treu
Und Glauben angenommen werden? – Nicht? –
Nun wessen Treu und Glauben zieht man denn
1980 Am wenigsten in Zweifel? Doch der Seinen!
Doch deren Blut wir sind? doch deren, die
Von Kindheit an uns Proben ihrer Liebe
Gegeben? die uns nie getäuscht, als wo
Getäuscht zu werden uns heilsamer war? –
1985 Wie kann ich meinen Vätern weniger
Als du den deinen glauben? Oder umgekehrt: –
Kann ich von dir verlangen, dass du deine
Vorfahren Lügen strafst, um meinen nicht
Zu widersprechen? Oder umgekehrt.
1990 Das Nämliche gilt von den Christen. – Nicht? –
SALADIN: (Bei dem Lebendigen! Der Mann hat Recht.
Ich muss verstummen.)
NATHAN: Lass auf unsre Ring
Uns wieder kommen. Wie gesagt: die Söhne
Verklagten sich, und jeder schwur dem Richter,
1995 Unmittelbar aus seines Vaters Hand
Den Ring zu haben. – Wie auch wahr! – Nachdem
Er von ihm lange das Versprechen schon
Gehabt, des Ringes Vorrecht einmal zu
Genießen. – Wie nicht minder wahr! – Der Vater,
2000 Beteu'rte jeder, könne gegen ihn
Nicht falsch gewesen sein, und eh er dieses
Von ihm, von einem solchen lieben Vater,
Argwohnen lass: eh müss er seine Brüder,
So gern er sonst von ihnen nur das Beste
2005 Bereit zu glauben sei, des falschen Spiels
Bezeihen[1], und er wolle die Verräter
Schon auszufinden wissen, sich schon rächen.

---

[1] bezichtigen, anschuldigen

SALADIN: Und nun, der Richter? – Mich verlangt zu hören,
Was du den Richter sagen lässest. Sprich!

010 NATHAN: Der Richter sprach: Wenn ihr mir nun den Vater
Nicht bald zur Stelle schafft, so weis ich euch
Von meinem Stuhle. Denkt ihr, dass ich Rätsel
Zu lösen da bin? Oder harret ihr,
Bis dass der rechte Ring den Mund eröffne? –

015 Doch, halt! Ich höre ja, der rechte Ring
Besitzt die Wunderkraft, beliebt zu machen,
Vor Gott und Menschen angenehm. Das muss
Entscheiden! Denn die falschen Ringe werden
Doch das nicht können! – Nun, wen lieben zwei

020 Von euch am meisten? – Macht, sagt an! Ihr schweigt?
Die Ringe wirken nur zurück? und nicht
Nach außen? Jeder liebt sich selber nur
Am meisten? – O, so seid ihr alle drei
Betrogene Betrüger! – Eure Ringe

025 Sind alle drei nicht echt. Der echte Ring
Vermutlich ging verloren. Den Verlust
Zu bergen[1], zu ersetzen, ließ der Vater
Die drei für einen machen.

SALADIN: Herrlich! herrlich!

NATHAN: Und also, fuhr der Richter fort, wenn ihr

030 Nicht meinen Rat statt meines Spruches wollt:
Geht nur! – Mein Rat ist aber der: ihr nehmt
Die Sache völlig, wie sie liegt. Hat von
Euch jeder seinen Ring von seinem Vater:
So glaube jeder sicher seinen Ring

035 Den echten. – Möglich, dass der Vater nun
Die Tyrannei des e i n e n Rings nicht länger
In seinem Hause dulden wollen! – Und gewiss,
Dass er euch alle drei geliebt und gleich
Geliebt: indem er zwei nicht drücken[2] mögen,

040 Um einen zu begünstigen. – Wohlan!
Es eifre jeder seiner unbestochnen,
Von Vorurteilen freien Liebe nach!
Es strebe von euch jeder um die Wette,
Die Kraft des Steins in seinem Ring an Tag

---

[1] verheimlichen, verbergen
[2] klein halten

Zu legen, komme dieser Kraft mit Sanftmut,
2045   Mit herzlicher Verträglichkeit, mit Wohltun,
Mit innigster Ergebenheit in Gott
Zu Hilf! Und wenn sich dann der Steine Kräfte
Bei euern Kindes-Kindeskindern äußern:
2050   So lad ich über tausend tausend Jahre
Sie wiederum vor diesen Stuhl. Da wird
Ein weis'rer Mann auf diesem Stuhle sitzen
Als ich und sprechen. Geht! – So sagte der
Bescheidne Richter.

SALADIN: Gott! Gott!

NATHAN: Saladin,
2055   Wenn du dich fühlest, dieser weisere
Versprochne Mann zu sein: ...

SALADIN: *(der auf ihn zustürzt und seine Hand ergreift, die er bis zu Ende nicht wieder fahren lässt)* Ich Staub? Ich
                                    Nichts?
O Gott!

NATHAN: Was ist dir, Sultan?

SALADIN: Nathan, lieber Nathan! –
Die tausend tausend Jahre deines Richters
Sind noch nicht um. – Sein Richterstuhl ist nicht
2060   Der meine. – Geh! – Geh! – Aber sei mein Freund!

NATHAN: Und weiter hätte Saladin mir nichts
Zu sagen?

SALADIN: Nichts.

NATHAN: Nichts?

SALADIN: Gar nichts. – Und warum?

NATHAN: Ich hätte noch Gelegenheit gewünscht,
Dir eine Bitte vorzutragen.

SALADIN: Braucht's
2065   Gelegenheit zu einer Bitte? – Rede!

NATHAN: Ich komm von einer weiten Reis', auf welcher
Ich Schulden eingetrieben. – Fast hab ich
Des baren Gelds zu viel. – Die Zeit beginnt
Bedenklich wiederum zu werden, – und
2070   Ich weiß nicht recht, wo sicher damit hin. –
Da dacht ich, ob nicht du vielleicht – weil doch
Ein naher Krieg des Geldes immer mehr
Erfordert, – etwas brauchen könntest.

SALADIN: *(ihm steif in die Augen sehend)*   Nathan! –
    Ich will nicht fragen, ob Al-Hafi schon
2075   Bei dir gewesen, – will nicht untersuchen,
    Ob dich nicht sonst ein Argwohn treibt, mir dieses
    Erbieten freierdings[1] zu tun: ...
NATHAN: Ein Argwohn?
SALADIN: Ich bin ihn wert! – Verzeih mir! – Denn was hilft's
    Ich muss dir nur gestehen, – dass ich im
    Begriffe war –
2080 NATHAN: Doch nicht, das Nämliche
    An mich zu suchen?
SALADIN: Allerdings!
NATHAN: So wär
    Uns beiden ja geholfen! – Dass ich aber
    Dir alle meine Barschaft nicht kann schicken,
    Das macht der junge Tempelherr. – Du kennst
2085   Ihn ja. – Ihm hab ich eine große Post[2]
    Vorher noch zu bezahlen.
SALADIN: Tempelherr?
    Du wirst doch meine schlimmsten Feinde nicht
    Mit deinem Geld auch unterstützen wollen?
NATHAN: Ich spreche von dem einen nur, dem du
    Das Leben spartest[3] ...
2090 SALADIN: Ah! woran erinnerst
    Du mich! – Hab ich doch diesen Jüngling ganz
    Vergessen! – Kennst du ihn? – Wo ist er?
NATHAN: Wie?
    So weißt du nicht, wie viel von deiner Gnade
    Für ihn, durch ihn auf mich geflossen? Er,
2095   Er mit Gefahr des neu erhaltnen Lebens,
    Hat meine Tochter aus dem Feu'r gerettet.
SALADIN: Er? Hat er das? – Ha! darnach sah er aus.
    Das hätte, traun[4]! mein Bruder auch getan,
    Dem er so ähnelt! – Ist er denn noch hier?
2100   So bring ihn her! – Ich habe meiner Schwester

---

[1] freiwillig
[2] großen Posten, Betrag
[3] schenktest, schontest
[4] wahrhaftig, fürwahr

Von diesem ihren Bruder, den sie nicht
Gekannt, so viel erzählet, dass ich sie
Sein Ebenbild doch auch muss sehen lassen! –
Geh, hol ihn! – Wie aus *einer* guten Tat,
2105 Gebar sie auch schon bloße Leidenschaft,
Doch so viel andre gute Taten fließen!
Geh, hol ihn!

NATHAN: (*indem er Saladins Hand fahren lässt*)
                     Augenblicks! Und bei dem andern
Bleibt es doch auch?   (*Ab*)

SALADIN: Ah! dass ich meine Schwester
Nicht horchen lassen! – Zu ihr! zu ihr! – Denn
2110 Wie soll ich alles das ihr nun erzählen?
(*Ab von der andern Seite*)

Achter Auftritt

*Die Szene: unter den Palmen, in der Nähe des
Klosters, wo der Tempelherr Nathans wartet*

TEMPELHERR: (*geht mit sich selbst kämpfend auf und ab,
bis er losbricht*)
– Hier hält das Opfertier ermüdet still. –
Nun gut! Ich mag nicht, mag nicht näher wissen,
Was in mir vorgeht, mag voraus nicht wittern,
Was vorgehn wird. – Genug, ich bin umsonst
2115 Geflohn, umsonst! – Und weiter k o n n t ich doch
Auch nichts als fliehn! – Nun komm, was kommen soll!
Ihm auszubeugen[1], war der Streich zu schnell
Gefallen, unter den zu kommen ich
So lang und viel mich weigerte. – Sie sehn,
2120 Die ich zu sehn so wenig lüstern[2] war, –
Sie sehn und der Entschluss, sie wieder aus
Den Augen nie zu lassen. – Was Entschluss?
Entschluss ist Vorsatz, Tat: und ich, ich litt',
Ich litte bloß. – Sie sehn und das Gefühl,
2125 An sie verstrickt, in sie verwebt zu sein,

---

[1] auszuweichen
[2] Lust hatte, begierig war

War eins. – Bleibt eins. – Von ihr getrennt
Zu leben ist mir ganz undenkbar, wär
Mein Tod, – und wo wir immer nach dem Tode
Noch sind, auch da mein Tod. – Ist das nun Liebe:
So – liebt der Tempelritter freilich, – liebt
Der Christ das Judenmädchen freilich, – Hm!
Was tut's? – Ich hab in dem gelobten Lande[1], –
Und drum auch mir g e l o b t auf immerdar! –
Der Vorurteile mehr schon abgelegt. –
Was will mein Orden auch? Ich Tempelherr
Bin tot, war von dem Augenblick ihm tot,
Der mich zu Saladins Gefangnen machte.
Der Kopf, den Saladin mir schenkte, wär
Mein alter? – Ist ein neuer, der von allem
Nichts weiß, was jenem eingeplaudert ward,
Was jenen band. – Und ist ein bessrer, für
Den väterlichen Himmel mehr gemacht.
Das spür ich ja. Denn erst mit ihm beginn
Ich so zu denken, wie mein Vater hier
Gedacht muss haben, wenn man Märchen nicht
Von ihm mir vorgelogen. – Märchen? – doch
Ganz glaubliche, die glaublicher mir nie
Als itzt geschienen, da ich nur Gefahr
Zu straucheln laufe, wo er fiel.[2] – Er fiel?
Ich will mit Männern lieber fallen als
Mit Kindern stehn. – Sein Beispiel bürget mir
Für seinen Beifall. Und an wessen Beifall
Liegt mir denn sonst? – An Nathans? – O, an dessen
Ermunterung mehr als Beifall kann es mir
Noch weniger gebrechen. – Welch ein Jude! –
Und der so ganz nur Jude scheinen will!
Da kömmt er, kömmt mit Hast, glüht heitre Freude.
Wer kam vom Saladin je anders? – He!
He, Nathan!

---

[1] Palästina, Israel
[2] Anspielung darauf, dass der Vater des Tempelherrn vom moham-
     medanischen zum christlichen Glauben übergetreten ist

Neunter Auftritt

Nathan und der Tempelherr

NATHAN: Wie? seid Ihr's?

TEMPELHERR: Ihr habt

2160 Sehr lang Euch bei dem Sultan aufgehalten.

NATHAN: So lange nun wohl nicht. Ich ward im Hingehn
 Zu viel verweilt. – Ach, wahrlich, Curd, der Mann
 Steht seinen Ruhm[1]. Sein Ruhm ist bloß sein Schatten. –
 Doch lasst vor allen Dingen Euch geschwind
 Nur sagen ...

TEMPELHERR: Was?

2165 NATHAN: Er will Euch sprechen, will,
 Dass ungesäumt[2] Ihr zu ihm kommt. Begleitet
 Mich nur nach Hause, wo ich noch für ihn
 Erst etwas anders zu verfügen habe:
 Und dann, so gehn wir.

TEMPELHERR: Nathan, Euer Haus
 Betret' ich wieder eher nicht ...

2170 NATHAN: So seid
 Ihr doch indes schon da gewesen? Habt
 Indes sie doch gesprochen? – Nun? Sagt: wie
 Gefällt Euch Recha?

TEMPELHERR: Über allen Ausdruck! –
 Allein, – sie wiedersehn – das werd ich nie!

2175 Nie! nie! – Ihr müsstet mir zur Stelle denn
 Versprechen: – dass ich sie auf immer, immer –
 Soll können sehn.

NATHAN: Wie wollt Ihr, dass ich das
 Versteh?

TEMPELHERR: *(nach einer kurzen Pause ihm plötzlich um den Hals fallend)* Mein Vater!

NATHAN: – Junger Mann!

TEMPELHERR: *(ihn ebenso plötzlich wieder lassend)*
      Nicht Sohn? –
 Ich bitt Euch, Nathan! –

NATHAN: Lieber junger Mann!

---

[1] wird zu Recht gerühmt

[2] sofort, ohne Verzögerung

80 TEMPELHERR: Nicht Sohn? – Ich bitt Euch, Nathan! –
                              Ich beschwör'
    Euch bei den ersten Banden der Natur! –
    Zieht ihnen spätre Fesseln[1] doch nicht vor! –
    Begnügt Euch doch ein Mensch zu sein! – Stoßt mich
    Nicht von Euch!
NATHAN: Lieber, lieber Freund! ...
TEMPELHERR: Und Sohn?
85 Sohn nicht? – Auch dann nicht, dann nicht einmal, wenn
    Erkenntlichkeit[2] zum Herzen Eurer Tochter
    Der Liebe schon den Weg gebahnet hätte?
    Auch dann nicht einmal, wenn in eins zu schmelzen
    Auf Euern Wink nur beide warteten? –
    Ihr schweigt?
90 NATHAN: Ihr überrascht mich, junger Ritter.
TEMPELHERR: Ich überrasch Euch? – überrasch Euch,
                                        Nathan,
    Mit Euern eigenen Gedanken? – Ihr
    Verkennt[3] sie doch in meinem Munde nicht? –
    Ich überrasch Euch?
NATHAN: Eh' ich einmal weiß,
95 Was für ein Stauffen Euer Vater denn
    Gewesen ist!
TEMPELHERR: Was sagt Ihr, Nathan? Was? –
    In diesem Augenblicke fühlt Ihr nichts
    Als Neubegier[4]?
NATHAN: Denn seht! Ich habe selbst
    Wohl einen Stauffen ehedem gekannt,
    Der Conrad hieß.
200 TEMPELHERR: Nun – wenn mein Vater denn
    Nun ebenso geheißen hätte?
NATHAN: Wahrlich?
TEMPELHERR: Ich heiße selber ja nach meinem Vater. Curd
    Ist Conrad.

---

[1] Religionsregeln
[2] Dankbarkeit
[3] falsch verstehen
[4] Neugier

NATHAN: Nun – so war mein Conrad doch
          Nicht Euer Vater; denn mein Conrad war,
2205   Was Ihr, war Tempelherr, war nie vermählt.
TEMPELHERR: O, darum!
NATHAN: Wie?
TEMPELHERR: O, darum könnt er doch
          Mein Vater wohl gewesen sein.
NATHAN: Ihr scherzt.
TEMPELHERR: Und Ihr nehmt's wahrlich zu genau! – Was
                                        wär's
          Denn nun? So was von Bastard[1] oder Bankert[2]!
2210   Der Schlag[3] ist auch nicht zu verachten. – Doch
          Entlasst mich immer meiner Ahnenprobe,
          Ich will Euch Eurer wiederum entlassen.
          Nicht zwar, als ob ich den geringsten Zweifel
          In Euern Stammbaum setzte. Gott behüte!
2215   Ihr könnt ihn Blatt vor Blatt bis Abraham
          Hinauf belegen. Und von da so weiter
          Weiß ich ihn selbst, will ich ihn selbst beschwören.
NATHAN: Ihr werdet bitter. – Doch verdien ich's? – Schlug
          Ich denn Euch schon was ab? – Ich will Euch ja
2220   Nur bei dem Worte nicht den Augenblick
          So fassen. – Weiter nichts.
TEMPELHERR: Gewiss? – Nichts weiter?
          O, so vergebt! ...
NATHAN: Nun kommt nur, kommt!
TEMPELHERR: Wohin?
          Nein! – Mit in Euer Haus? – Das nicht! das nicht! –
          Da brennt's! – Ich will Euch hier erwarten. Geht! –
2225   Soll ich sie wiedersehn: so seh ich sie
          Noch oft genug. Wo nicht: so sah ich sie
          Schon viel zu viel ...
NATHAN: Ich will mich möglichst eilen.

---

[1] Kind einer Frau, die einen weit geringeren Stand hat als der Vater
[2] uneheliches Kind
[3] die Art

Zehnter Auftritt

Der Tempelherr und bald darauf Daja

TEMPELHERR: Schon mehr als g'nug! – Des Menschen Hirn
fasst so
    Unendlich viel; und ist doch manchmal auch
30   So plötzlich voll! Von einer Kleinigkeit
    So plötzlich voll! – Taugt nichts, taugt nichts! Es sei
    Auch voll, wovon es will. – Doch nur Geduld!
    Die Seele wirkt[1] den aufgedunsnen Stoff
    Bald ineinander, schafft sich Raum, und Licht
35   Und Ordnung kommen wieder. – Lieb ich denn
    Zum ersten Male? – Oder war, was ich
    Als Liebe kenne, Liebe nicht? – Ist Liebe
    Nur, was ich itzt empfinde? ...

DAJA: (*die sich von der Seite herbeigeschlichen*) Ritter! Ritter!

TEMPELHERR: Wer ruft? – Ha, Daja, Ihr?

DAJA: Ich habe mich
40   Bei ihm vorbeigeschlichen. Aber noch
    Könnt er uns sehn, wo Ihr da steht. – Drum kommt
    Doch näher zu mir, hinter diesen Baum.

TEMPELHERR: Was gibt's denn? – So geheimnisvoll? –
Was ist's?

DAJA: Ja wohl betrifft es ein Geheimnis, was
45   Mich zu Euch bringt, und zwar ein doppeltes.
    Das eine weiß nur ich; das andre wisst
    Nur Ihr. – Wie wär es, wenn wir tauschten?
    Vertraut mir Euers: so vertrau ich Euch
    Das meine.

TEMPELHERR: Mit Vergnügen. – Wenn ich nur
50   Erst weiß, was Ihr für meines achtet. Doch
    Das wird aus Euerm wohl erhellen[2]. – Fangt
    Nur immer an!

DAJA: Ei, denkt doch! – Nein, Herr Ritter;
    Erst Ihr! Ich folge. – Denn versichert[3], mein

---

[1] schafft, verarbeitet
[2] deutlich werden
[3] ich versichere Euch, seid versichert

Geheimnis kann Euch gar nichts nutzen, wenn
2255 Ich nicht zuvor das Eure habe. – Nur
Geschwind! – Denn frag ich's Euch erst ab: so habt
Ihr nichts vertrauet. Mein Geheimnis dann
Bleibt mein Geheimnis, und das Eure seid
Ihr los. – Doch, armer Ritter! – Dass ihr Männer
2260 Ein solch Geheimnis vor uns Weibern haben
Zu können auch nur glaubt!

TEMPELHERR: Das wir zu haben
Oft selbst nicht wissen.

DAJA: Kann wohl sein. Drum muss
Ich freilich erst, Euch selbst damit bekannt
Zu machen, schon die Freundschaft[1] haben. – Sagt:
2265 Was hieß denn das, dass Ihr so Knall und Fall
Euch aus dem Staube machtet, dass Ihr uns
So sitzen ließet? – dass Ihr nun mit Nathan
Nicht wiederkommt? – Hat Recha denn so wenig
Auf Euch gewirkt? wie? oder auch so viel? –
2270 So viel! so viel! – Lehrt Ihr des armen Vogels,
Der an der Rute klebt, Geflatter mich
Doch kennen! – Kurz: gesteht es mir nur gleich,
Dass Ihr sie liebt, liebt bis zum Unsinn, und
Ich sag Euch was ...

TEMPELHERR: Zum Unsinn? Wahrlich! Ihr
Versteht Euch trefflich drauf.

2275 DAJA: Nun, gebt mir nur
Die Liebe zu; den Unsinn will ich Euch
Erlassen.

TEMPELHERR: Weil er sich von selbst versteht? –
Ein Tempelherr ein Judenmädchen lieben! ...

DAJA: Scheint freilich wenig Sinn zu haben. – Doch
2280 Zuweilen ist des Sinns in einer Sache
Auch mehr, als wir vermuten, und es wäre
So unerhört doch nicht, dass uns der Heiland
Auf Wegen zu sich zöge, die der Kluge
Von selbst nicht leicht betreten würde.

TEMPELHERR: Das
2285 So feierlich? – (Und setz ich statt des Heilands

---

[1] Freundlichkeit, Zuvorkommen

Die Vorsicht[1]: hat sie denn nicht Recht?) – Ihr macht
Mich neubegieriger, als ich wohl sonst
Zu sein gewohnt bin.

DAJA: O, das ist das Land
Der Wunder!

TEMPELHERR: (Nun! – des Wunderbaren. Kann
Es auch wohl anders sein? Die ganze Welt
Drängt sich ja hier zusammen.) – Liebe Daja,
Nehmt für gestanden an, was Ihr verlangt:
Dass ich sie liebe, dass ich nicht begreife,
Wie ohne sie ich leben werde, dass ...

DAJA: Gewiss? Gewiss? – So schwört mir, Ritter, sie
Zur Eurigen zu machen, sie zu retten!
Sie zeitlich hier, sie ewig dort zu retten.

TEMPELHERR: Und wie? Wie kann ich? – Kann ich schwören,
                                                        was
In meiner Macht nicht steht?

DAJA: In Eurer Macht
Steht es. Ich bring es durch ein einzig Wort
In Eure Macht.

TEMPELHERR: Dass selbst der Vater nichts
Dawider[2] hätte?

DAJA: Ei, was Vater! Vater!
Der Vater soll schon müssen.

TEMPELHERR: Müssen, Daja? –
Noch ist er unter Räuber nicht gefallen. –
Er muss nicht müssen.

DAJA: Nun, so muss er wollen,
Muss gern am Ende wollen.

TEMPELHERR: Muss und gern! –
Doch, Daja, wenn ich Euch nun sage, dass
Ich selber diese Sait' ihm anzuschlagen
Bereits versucht?

DAJA: Was? und er fiel nicht ein?

TEMPELHERR: Er fiel mit einem Misslaut ein, der mich –
Beleidigte.

---

[1] Vorsehung
[2] dagegen

DAJA: Was sagt Ihr? – Wie? Ihr hättet
Den Schatten eines Wunsches nur nach Recha
Ihm blicken lassen: und er wär vor Freuden
Nicht aufgesprungen? hätte frostig sich
2315 Zurückgezogen? hätte Schwierigkeiten
Gemacht?
TEMPELHERR: So ungefähr.
DAJA: So will ich denn
Mich länger keinen Augenblick bedenken – *(Pause)*
TEMPELHERR: Und Ihr bedenkt Euch doch?
DAJA: Der Mann ist sonst
So gut! – Ich selber bin so viel ihm schuldig! –
2320 Dass er doch gar nicht hören will! – Gott weiß,
Das Herze blutet mir, ihn so zu zwingen.
TEMPELHERR: Ich bitt euch, Daja, setzt mich kurz und gut
Aus dieser Ungewissheit. Seid Ihr aber
Noch selber ungewiss, ob, was Ihr vorhabt,
2325 Gut oder böse, schändlich oder löblich
Zu nennen: – schweigt! Ich will vergessen, dass
Ihr etwas zu verschweigen habt.
DAJA: Das spornt,
Anstatt zu halten. Nun, so wisst denn: Recha
Ist keine Jüdin, ist – ist eine Christin.
2330 TEMPELHERR: *(kalt)* So? Wünsch euch Glück! Hat's schwer
gehalten? Lasst
Euch nicht die Wehen schrecken[1]! – Fahret ja
Mit Eifer fort, den Himmel zu bevölkern,
Wenn Ihr die Erde nicht mehr könnt!
DAJA: Wie, Ritter?
Verdienet meine Nachricht diesen Spott?
2335 Dass Recha eine Christin ist: das freuet
Euch, einen Christen, einen Tempelherrn,
Der Ihr sie liebt, nicht mehr?
TEMPELHERR: Besonders, da
Sie eine Christin von Eurer Mache.
DAJA: Ah! so versteht Ihr's? So mag's gelten! – Nein!
2340 Den will ich sehn, der die bekehren soll!

---

[1] ironisch: durch die Wehen abhalten

Ihr Glück ist, längst zu sein, was sie zu werden
Verdorben ist.
TEMPELHERR: Erklärt Euch oder – geht!
DAJA: Sie ist ein Christenkind, von Christeneltern
Geboren, ist getauft ...
TEMPELHERR: *(hastig)*   Und Nathan?
DAJA: Nicht
Ihr Vater!
45 TEMPELHERR: Nathan nicht ihr Vater? – Wisst
Ihr, was Ihr sagt?
DAJA: Die Wahrheit, die so oft
Mich blut'ge Tränen weinen machen. – Nein,
Er ist ihr Vater nicht ...
TEMPELHERR: Und hätte sie
Als seine Tochter nur erzogen? hätte
50 Das Christenkind als eine Jüdin sich
Erzogen?
DAJA: Ganz gewiss.
TEMPELHERR: Sie wüsste nicht,
Was sie geboren sei? – Sie hätt es nie
Von ihm erfahren, dass sie eine Christin
Geboren sei, und keine Jüdin?
DAJA: Nie!
55 TEMPELHERR: Er hätt in diesem Wahne[1] nicht das Kind
Bloß auferzogen, ließ das Mädchen noch
In diesem Wahne?
DAJA: Leider!
TEMPELHERR: Nathan – Wie? –
Der weise gute Nathan hätte sich
Erlaubt, die Stimme der Natur so zu
60 Verfälschen? – Die Ergießung eines Herzens
So zu verlenken[2], die, sich selbst gelassen,
Ganz andre Wege nehmen würde? – Daja,
Ihr habt mir allerdings etwas vertraut –
Von Wichtigkeit, – was Folgen haben kann, –
65 Was mich verwirrt, – worauf ich gleich nicht weiß,
Was mir zu tun. – Drum lasst mir Zeit. – Drum geht!

---

[1] falscher Glaube
[2] in die falsche Richtung lenken

Er kömmt hier wiederum vorbei. Er möcht
Uns überfallen. Geht!

DAJA: Ich wär des Todes!

TEMPELHERR: Ich bin ihn itzt zu sprechen ganz und gar
2370 Nicht fähig. Wenn Ihr ihm begegnet, sagt
Ihm nur, dass wir einander bei dem Sultan
Schon finden würden.

DAJA: Aber lasst Euch ja
Nichts merken gegen ihn! – Das soll nur so
Den letzten Druck dem Dinge geben, soll
2375 Euch Rechas wegen alle Skrupel nur
Benehmen[1]! – Wenn Ihr aber dann sie nach
Europa führt: so lasst Ihr doch mich nicht
Zurück?

TEMPELHERR: Das wird sich finden. Geht nur, geht!

---

[1] Bedenken ... nehmen

Vierter Aufzug

Erster Auftritt

Szene: In den Kreuzgängen des Klosters
Der Klosterbruder und bald darauf der Tempelherr

KLOSTERBRUDER: Ja, ja! er hat schon recht, der Patriarch!
80   Es hat mir freilich noch von alledem
      Nicht viel gelingen wollen, was er mir
      So aufgetragen. – Warum trägt er mir
      Auch lauter solche Sachen auf? – Ich mag
      Nicht fein sein, mag nicht überreden, mag
85   Mein Näschen nicht in alles stecken, mag
      Mein Händchen nicht in allem haben. – Bin
      Ich darum aus der Welt geschieden, ich
      Für mich, um mich für andre mit der Welt
      Noch erst recht zu verwickeln?
TEMPELHERR: *(mit Hast auf ihn zukommend)* Guter Bruder!
90   Da seid Ihr ja. Ich hab Euch lange schon
      Gesucht.
KLOSTERBRUDER: Mich, Herr?
TEMPELHERR: Ihr kennt mich schon nicht mehr?
KLOSTERBRUDER: Doch, doch! Ich glaubte nur, dass ich den
                                                      Herrn
      In meinem Leben wieder nie zu sehn
      Bekommen würde. Denn ich hofft' es zu
95   Dem lieben Gott. – Der liebe Gott, der weiß,
      Wie sauer mir der Antrag ward, den ich
      Dem Herrn zu tun verbunden war. Er weiß,
      Ob ich gewünscht, ein offnes Ohr bei Euch
      Zu finden, weiß, wie sehr ich mich gefreut,
100   Im Innersten gefreut, dass Ihr so rund[1]
      Das alles ohne viel Bedenken von
      Euch wies't, was einem Ritter nicht geziemt. –
      Nun kommt Ihr doch; nun hat's doch nachgewirkt!
TEMPELHERR: Ihr wisst es schon, warum ich komme? Kaum
      Weiß ich es selbst.

---

[1] klar, bestimmt

2405 KLOSTERBRUDER: Ihr habt's nun überlegt,
　　　　Habt nun gefunden, dass der Patriarch
　　　　So unrecht doch nicht hat, dass Ehr und Geld
　　　　Durch seinen Anschlag zu gewinnen, dass
　　　　Ein Feind ein Feind ist, wenn er unser Engel
2410 Auch siebenmal gewesen wäre. Das,
　　　　Das habt Ihr nun mit Fleisch und Blut[1] erwogen
　　　　Und kommt und tragt euch wieder an[2]. – Ach Gott!
TEMPELHERR: Mein frommer, lieber Mann! Gebt Euch zufrie-
　　　　　　　　　　　　　　　　　　　　　　　den!
　　　　Deswegen komm ich nicht; deswegen will
2415 Ich nicht den Patriarchen sprechen. Noch,
　　　　Noch denk ich über jenen Punkt, wie ich
　　　　Gedacht, und wollt um alles in der Welt
　　　　Die gute Meinung nicht verlieren, deren
　　　　Mich ein so grader, frommer, lieber Mann
2420 Einmal gewürdiget. – Ich komme bloß,
　　　　Den Patriarchen über eine Sache
　　　　Um Rat zu fragen ...
KLOSTERBRUDER: Ihr den Patriarchen?
　　　　Ein Ritter einen – Pfaffen?
　　　　(Sich schüchtern umsehend)
TEMPELHERR: Ja, – die Sach
　　　　Ist ziemlich pfäffisch.
KLOSTERBRUDER: Gleichwohl fragt der Pfaffe
2425 Den Ritter nie, die Sache sei auch noch
　　　　So ritterlich.
TEMPELHERR: Weil er das Vorrecht hat,
　　　　Sich zu vergehn, das unsereiner ihm
　　　　Nicht sehr beneidet. – Freilich, wenn ich nur
　　　　Für m i c h zu handeln hätte, freilich, wenn
2430 Ich Rechenschaft nur mir zu geben hätte:
　　　　Was braucht' ich Euers Patriarchen? Aber
　　　　Gewisse Dinge will ich lieber schlecht
　　　　Nach andrer Willen machen als allein
　　　　Nach meinem gut. – Zudem, ich seh nun wohl:
2435 Religion ist auch Partei, und wer

---

[1]　als Mensch mit Fehlern
[2]　bietet euch wieder an

Sich drob auch noch so unparteiisch glaubt,
Hält, ohn' es selbst zu wissen, doch nur seiner
Die Stange. Weil das einmal nun so ist,
Wird's so wohl recht sein.

KLOSTERBRUDER: Dazu schweig ich lieber;
Denn ich versteh den Herrn nicht recht.

1140 TEMPELHERR: Und doch –
(Lass sehn, warum mir eigentlich zu tun!
Um Machtspruch oder Rat? – Um lautern[1] oder
Gelehrten Rat?) – Ich dank Euch, Bruder, dank
Euch für den guten Wink – Was Patriarch? –
1145 Seid Ihr mein Patriarch! Ich will ja doch
Den Christen mehr im Patriarchen als
Den Patriarchen in dem Christen fragen. –
Die Sach ist die ...

KLOSTERBRUDER: Nicht weiter, Herr, nicht weiter!
Wozu? – Der Herr verkennt mich. – Wer viel weiß,
1150 Hat viel zu sorgen, und ich habe ja
Mich einer Sorge nur gelobt[2]. – O gut!
Hört! seht! Dort kömmt zu meinem Glück er selbst.
Bleibt hier nur stehn. Er hat Euch schon erblickt.

Zweiter Auftritt

Der Patriarch, welcher mit allem geistlichen Pomp den
einen Kreuzgang heraufkömmt, und die Vorigen

TEMPELHERR: Ich wich' ihm lieber aus. – Wär nicht mein
                                          Mann! –
1155 Ein dicker, roter, freundlicher Prälat!
Und welcher Prunk!

KLOSTERBRUDER: Ihr solltet ihn erst sehn
Nach Hofe sich erheben. Itzo kömmt
Er nur von einem Kranken.

TEMPELHERR: Wie sich da
Nicht Saladin wird schämen müssen!

---

[1] echten, ehrlichen
[2] nur das Gelübde des Gehorsams abgelegt

PATRIARCH: (*indem er näher kömmt, winkt dem Bruder*)
                                                    Hier! –
2460 Das ist ja wohl der Tempelherr. Was will
      Er?
KLOSTERBRUDER: Weiß nicht.
PATRIARCH: (*auf ihn zugehend, indem der Bruder und das
      Gefolge zurücktreten*)   Nun, Herr Ritter! – Sehr erfreut,
      Den braven jungen Mann zu sehn! – Ei, noch
      So gar jung! – Nun, mit Gottes Hilfe, daraus
      Kann etwas werden.
TEMPELHERR: Mehr, ehrwürd'ger Herr,
2465 Wohl schwerlich, als schon ist. Und eher noch
      Was weniger.
PATRIARCH: Ich wünsche wenigstens,
      Dass so ein frommer Ritter lange noch
      Der lieben Christenheit, der Sache Gottes
      Zu Ehr und Frommen[1] blühn und grünen möge!
2470 Das wird denn auch nicht fehlen, wenn nur fein
      Die junge Tapferkeit dem reifen Rate
      Des Alters folgen will! – Womit wär sonst
      Dem Herrn zu dienen?
TEMPELHERR: Mit dem Nämlichen,
      Woran es meiner Jugend fehlt: mit Rat.
2475 PATRIARCH: Recht gern! – Nur ist der Rat auch anzunehmen.
TEMPELHERR: Doch blindlings nicht?
PATRIARCH: Wer sagt denn das? Ei, freilich
      Muss niemand die Vernunft, die Gott ihm gab,
      Zu brauchen unterlassen – wo sie hin-
      Gehört. – Gehört sie aber überall
2480 Denn hin? – O nein! – Zum Beispiel: wenn uns Gott
      Durch einen seiner Engel, – ist zu sagen:
      Durch einen Diener seines Worts – ein Mittel
      Bekannt zu machen würdiget, das Wohl
      Der ganzen Christenheit, das Heil der Kirche,
2485 Auf irgendeine ganz besondre Weise
      Zu fördern, zu befestigen: wer darf
      Sich da noch unterstehn, die Willkür des,
      Der die Vernunft erschaffen, nach Vernunft

---

[1] Nutzen

Zu untersuchen? und das ewige
90 Gesetz der Herrlichkeit des Himmels nach
Den kleinen Regeln einer eiteln Ehre
Zu prüfen? – Doch hiervon genug. – Was ist
Es denn, worüber unsern Rat für itzt
Der Herr verlangt?

TEMPELHERR: Gesetzt, ehrwürd'ger Vater,
95 Ein Jude hätt ein einzig Kind – es sei
Ein Mädchen –, das er mit der größten Sorgfalt
Zu allem Guten auferzogen, das
Er liebe mehr als seine Seele, das
Ihn wieder mit der frömmsten Liebe liebe.
00 Und nun würd unsereinem hinterbracht,
Dies Mädchen sei des Juden Tochter nicht.
Er hab es in der Kindheit aufgelesen,
Gekauft, gestohlen – was Ihr wollt, man wisse,
Das Mädchen sei ein Christenkind und sei
05 Getauft; der Jude hab es nur als Jüdin
Erzogen, lass es nur als Jüdin und
Als seine Tochter so verharren: – sagt,
Ehrwürd'ger Vater, was wär hierbei wohl
Zu tun?

PATRIARCH: Mich schaudert! – Doch zu allererst
10 Erkläre sich der Herr, ob so ein Fall
Ein Faktum oder eine Hypothes'.
Das ist zu sagen: ob der Herr sich das
Nur bloß so dichtet oder ob's geschehn
Und fortfährt zu geschehn.

TEMPELHERR: Ich glaubte, das
15 Sei eins, um Euer Hochehrwürden Meinung
Bloß zu vernehmen.

PATRIARCH: Eins? – Da seh der Herr,
Wie sich die stolze menschliche Vernunft
Im Geistlichen doch irren kann. – Mitnichten!
Denn ist der vorgetragne Fall nur so
20 Ein Spiel des Witzes[1]: so verlohnt es sich
Der Mühe nicht, im Ernst ihn durchzudenken.

---

[1] des Geistes, des Verstandes

Ich will den Herrn damit auf das Theater[1]
Verwiesen haben, wo dergleichen pro
Et contra sich mit vielem Beifall könnte
2525 Behandeln lassen. – Hat der Herr mich aber
Nicht bloß mit einer theatral'schen Schnurre[2]
Zum Besten, ist der Fall ein Faktum, hätt
Er sich wohl gar in unsrer Diözes[3],
In unsrer lieben Stadt Jerusalem,
Ereignet: – ja alsdann –
2530 TEMPELHERR: Und was alsdann?
PATRIARCH: Dann wäre mit dem Juden fördersamst[4]
Die Strafe zu vollziehn, die päpstliches
Und kaiserliches Recht so einem Frevel,
So einer Lastertat bestimmen.
TEMPELHERR: So?
2535 PATRIARCH: Und zwar bestimmen obbesagte Rechte
Dem Juden, welcher einen Christen zur
Apostasie[5] verführt, – den Scheiterhaufen –
Den Holzstoß –
TEMPELHERR: So?
PATRIARCH: Und wie viel mehr dem Juden,
Der mit Gewalt ein armes Christenkind
2540 Dem Bunde seiner Tauf entreißt! Denn ist
Nicht alles, was man Kindern tut, Gewalt? –
Zu sagen: – ausgenommen, was die Kirch
An Kindern tut.
TEMPELHERR: Wenn aber nun das Kind,
Erbarmte seiner sich der Jude nicht,
2545 Vielleicht im Elend umgekommen wäre?
PATRIARCH: Tut nichts! der Jude wird verbrannt. –
                                        Denn besser,
Es wäre hier im Elend umgekommen,
Als dass zu seinem ewigen Verderben

---

[1] Anspielung auf den Streit mit dem Hamburger Hauptpastor Goeze,
     der Lessings Argumentation als „Theaterlogik" bezeichnete (s. An-
     hang S. 166ff.)
[2] scherzhafte Erzählung
[3] kirchlicher Verwaltungsbezirk
[4] unverzüglich
[5] Abkehr vom Glauben

Es so gerettet ward. – Zudem, was hat

550 Der Jude Gott denn vorzugreifen? Gott
Kann, wen er retten will, schon ohn' ihn retten.

TEMPELHERR: Auch trotz ihm, sollt ich meinen, – selig
machen.

PATRIARCH: Tut nichts! der Jude wird verbrannt.

TEMPELHERR: Das geht
Mir nah! Besonders, da man sagt, er habe

555 Das Mädchen nicht sowohl in seinem als
Vielmehr in keinem Glauben auferzogen
Und sie von Gott nicht mehr, nicht weniger
Gelehrt, als der Vernunft genügt.

PATRIARCH: Tut nichts!
Der Jude wird verbrannt ... Ja, wär allein

560 Schon dieserwegen[1] wert, dreimal verbrannt
Zu werden! – Was? ein Kind ohn' allen Glauben
Erwachsen lassen? – Wie? die große Pflicht
Zu glauben, ganz und gar ein Kind nicht lehren?
Das ist zu arg! – Mich wundert sehr, Herr Ritter,
Euch selbst ...

565 TEMPELHERR: Ehrwürd'ger Herr, das Übrige,
Wenn Gott will, in der Beichte. (*Will gehn*)

PATRIARCH: Was? mir nun
Nicht einmal Rede stehn? – Den Bösewicht,
Den Juden mir nicht nennen? – mir ihn nicht
Zur Stelle schaffen? – O, da weiß ich Rat!

570 Ich geh sogleich zum Sultan. – Saladin,
Vermöge der Kapitulation[2],
Die er beschworen, muss uns, muss uns schützen,
Bei allen Rechten, allen Lehren schützen,
Die wir zu unsrer allerheiligsten

575 Religion nur immer rechnen dürfen!
Gottlob! wir haben das Original.
Wir haben seine Hand, sein Siegel. Wir! –
Auch mach ich ihm gar leicht begreiflich, wie
Gefährlich selber für den Staat es ist,

580 Nichts glauben! Alle bürgerlichen Bande

---

[1] deswegen
[2] hier: Vertrag, der in Kapitel untergliedert ist (s. Anhang S. 171f.)

Sind aufgelöset, sind zerrissen, wenn
Der Mensch nichts glauben darf. – Hinweg! hinweg
Mit solchem Frevel! ...

TEMPELHERR: Schade, dass ich nicht
Den trefflichen Sermon[1] mit bessrer Muße
2585   Genießen kann! Ich bin zum Saladin
Gerufen.

PATRIARCH: Ja? – Nun so – Nun freilich – Dann –

TEMPELHERR: Ich will den Sultan vorbereiten, wenn
Es Eurer Hochehrwürden so gefällt.

PATRIARCH: O, oh! – Ich weiß, der Herr hat Gnade funden
2590   Vor Saladin! – Ich bitte, meiner nur
Im Besten bei ihm eingedenk zu sein. –
Mich treibt der Eifer Gottes lediglich.
Was ich zu viel tu, tu ich ihm. – Das wolle
Doch ja der Herr erwägen! – Und nicht wahr,
2595   Herr Ritter? das vorhin Erwähnte von
Dem Juden war nur ein Problema[2]? – ist
Zu sagen –

TEMPELHERR: Ein Problema   (Geht ab)

PATRIARCH: (Dem ich tiefer
Doch auf den Grund zu kommen suchen muss.
Das wär so wiederum ein Auftrag für
2600   Den Bruder Bonafides.) – Hier, mein Sohn!
(Er spricht im Abgehen mit dem Klosterbruder)

Dritter Auftritt

*Szene: ein Zimmer im Palaste des Saladin, in welches
von Sklaven eine Menge Beutel getragen
und auf den Boden nebeneinandergestellt werden.
Saladin und bald darauf Sittah*

SALADIN: (der dazukömmt)
Nun, wahrlich. Das hat noch kein Ende. – Ist
Des Dings noch viel zurück[3]?

---

[1] Rede, Belehrung
[2] Streitfrage, konstruierter Rechtsfall
[3] Ist noch viel von dem Zeug übrig?

EIN SKLAVE: Wohl noch die Hälfte.

SALADIN: So tragt das Übrige zu Sittah! – Und
    Wo bleibt Al-Hafi? – Das hier soll sogleich
05   Al-Hafi zu sich nehmen. – Oder ob
    Ich's nicht vielmehr dem Vater schicke? Hier
    Fällt mir es doch nur durch die Finger. – Zwar
    Man wird wohl endlich hart, und nun gewiss
    Soll's Künste kosten, mir viel abzuzwacken.
510   Bis wenigstens die Gelder aus Ägypten
    Zur Stelle kommen, mag das Armut[1] sehn,
    Wie's fertig wird! – Die Spenden bei dem Grabe[2],
    Wenn die nur fortgehn! Wenn die Christenpilger
    Mit leeren Händen nur nicht abziehn dürfen!
    Wenn nur –

515 SITTAH: Was soll nun das? Was soll das Geld
    Bei mir?

SALADIN: Mach dich davon bezahlt und leg
    Auf Vorrat, wenn was übrig bleibt.

SITTAH: Ist Nathan
    Noch mit dem Tempelherrn nicht da?

SALADIN: Er sucht
    Ihn aller Orten.

SITTAH: Sieh doch, was ich hier,
620   Indem mir so mein alt Geschmeide[3] durch
    Die Hände geht, gefunden.
    (Ihm ein kleines Gemälde[4] zeigend)

SALADIN: Ha! mein Bruder!
    Das ist er, ist er! – War er! war er! ah! –
    Ah, wackrer, lieber Junge, dass ich dich
    So früh verlor! Was hätt ich erst mit dir,
625   An deiner Seit erst unternommen! – Sittah,
    Lass mir das Bild! Auch kenn ich's schon: er gab
    Es deiner ältern Schwester, seiner Lilla,
    Die eines Morgens ihn so ganz und gar

---

[1] die armen Leute
[2] Saladin unterstützte die christlichen Pilger mit einer Spende
[3] Halsschmuck
[4] Abbildung auf einem Amulett, die eigentlich vom Koran nicht gestattet wird

Nicht aus den Armen lassen wollt. Es war
2630 Der Letzte, den er ausritt. – Ah, ich ließ
Ihn reiten, und allein! – Ah, Lilla starb
Vor Gram und hat mir's nie vergeben, dass
Ich so allein ihn reiten lassen. – Er
Blieb weg!

SITTAH: Der arme Bruder!

SALADIN: Lass nur gut
2635 Sein! – Einmal bleiben wir doch alle weg! –
Zudem – wer weiß? Der Tod ist's nicht allein,
Der einem Jüngling seiner Art das Ziel
Verrückt. Er hat der Feinde mehr, und oft
Erliegt der Stärkste gleich dem Schwächsten. – Nun,
2640 Sei, wie ihm sei! – Ich muss das Bild doch mit
Dem jungen Tempelherrn vergleichen, muss
Doch sehn, wie viel mich meine Fantasie
Getäuscht.

SITTAH: Nur darum bring ich's. Aber gib
Doch, gib! Ich will dir das wohl sagen; das
2645 Versteht ein weiblich Aug am besten.

SALADIN: *(zu einem Türsteher, der hereinritt)* Wer
Ist da? – der Tempelherr? – Er kommt!

SITTAH: Euch nicht
Zu stören: ihn mit meiner Neugier nicht
Zu irren –
*(Sie setzt sich seitwärts auf einen Sofa und lässt den
Schleier fallen)*

SALADIN: Gut so! gut! –   (Und nun sein Ton[1]!
Wie der wohl sein wird! – Assads Ton
2650 Schläft auch wohl wo in meiner Seele noch!)

---

[1] Stimme

Vierter Auftritt

Der Tempelherr und Saladin

TEMPELHERR: Ich, dein Gefangner, Sultan ...

SALADIN: Mein Gefangner?
Wem ich das Leben schenke, werd ich dem
Nicht auch die Freiheit schenken?

TEMPELHERR: Was dir ziemt[1]
Zu tun, ziemt mir, erst zu vernehmen, nicht
655   Vorauszusetzen. Aber, Sultan – Dank,
Besondern Dank dir für mein Leben zu
Beteuern stimmt mit meinem Stand und meinem
Charakter nicht. – Es steht in allen Fällen
Zu deinen Diensten wieder.

SALADIN: Brauch es nur
660   Nicht wider mich! – Zwar ein Paar Hände mehr,
Die gönnt ich meinem Feinde gern. Allein
Ihm so ein Herz auch mehr zu gönnen fällt
Mir schwer. – Ich habe mich mit dir in nichts
Betrogen, braver junger Mann! Du bist
665   Mit Seel und Leib mein Assad. Sieh! ich könnte
Dich fragen: wo du denn die ganze Zeit
Gesteckt? In welcher Höhle du geschlafen?
In welchem Ginnistan[2], von welcher guten
Div[3] diese Blume fort und fort so frisch
670   Erhalten worden? Sieh! ich könnte dich
Erinnern wollen, was wir dort und dort
Zusammen ausgeführt. Ich könnte mit
Dir zanken, dass du ein Geheimnis doch
Vor mir gehabt! Ein Abenteuer mir
675   Doch unterschlagen: – Ja, das könnt ich, wenn
Ich dich nur säh und nicht auch mich. – Nun, mag's!
Von dieser süßen Träumerei ist immer
Doch so viel wahr, dass mir in meinem Herbst
Ein Assad wieder blühen soll. – Du bist
Es doch zufrieden, Ritter?

---

[1] geziemt, zukommen
[2] Land der Feen
[3] Fee

2680 TEMPELHERR: Alles, was
Von dir mir kömmt – sei, was es will – das lag
Als Wunsch in meiner Seele.

SALADIN: Lass uns das
Sogleich versuchen. – Bliebst du wohl bei mir?
Um mir? – Als Christ, als Muselmann: gleichviel!
2685 Im weißen Mantel oder Jamerlonk[1],
Im Tulban[2] oder deinem Filze[3]: wie
Du willst! Gleichviel! Ich habe nie verlangt,
Dass allen Bäumen e i n e Rinde wachse.

TEMPELHERR: Sonst wärst du wohl auch schwerlich, der du
bist:
2690 Der Held, der lieber Gottes Gärtner wäre.

SALADIN: Nun dann, wenn du nicht schlechter von mir
denkst:
So wären wir ja halb schon richtig[4]?

TEMPELHERR: Ganz!

SALADIN: (ihm die Hand bietend)
Ein Wort?

TEMPELHERR: (einschlagend)
          Ein Mann! – Hiermit empfange mehr,
Als du mir nehmen konntest. Ganz der Deine!

2695 SALADIN: Zu viel Gewinn für einen Tag! Zu viel! –
Kam er nicht mit?

TEMPELHERR: Wer?

SALADIN: Nathan.

TEMPELHERR: (frostig)   Nein. Ich kam
Allein.

SALADIN: Welch eine Tat von dir! Und welch
Ein weises Glück, dass eine solche Tat
Zum Besten eines solchen Mannes ausschlug!

TEMPELHERR: Ja, ja!

2700 SALADIN: So kalt? – Nein, junger Mann! wenn Gott
Was Gutes durch uns tut, muss man so kalt
Nicht sein! – selbst aus Bescheidenheit so kalt
Nicht scheinen wollen!

---

[1] weißes Obergewand der Araber
[2] Turban
[3] Filzhut
[4] einig, einer Meinung

TEMPELHERR: Dass doch in der Welt
Ein jedes Ding so manche Seiten hat! –
705 Von denen oft sich gar nicht denken lässt,
Wie sie zusammenpassen!
SALADIN: Halte dich
Nur immer an die best' und preise Gott!
Der weiß, wie sie zusammenpassen. – Aber,
Wenn du so schwierig sein willst, junger Mann:
710 So werd auch ich ja wohl auf meiner Hut
Mich mit dir halten[1] müssen? Leider bin
Auch ich ein Ding von vielen Seiten, die
Oft nicht so recht zu passen scheinen mögen.
TEMPELHERR: Das schmerzt! – Denn Argwohn ist so wenig
sonst
Mein Fehler –
715 SALADIN: Nun, so sage doch, mit wem
Du's hast? – Es schien ja gar, mit Nathan. Wie?
Auf Nathan Argwohn? du? – Erklär dich! sprich!
Komm, gib mir deines Zutrauns erste Probe.
TEMPELHERR: Ich habe wider Nathan nichts. Ich zürn
Allein mit mir –
SALADIN: Und über was?
720 TEMPELHERR: Dass mir
Geträumt, ein Jude könn auch wohl ein Jude
Zu sein verlernen, dass mir wachend so
Geträumt.
SALADIN: Heraus mit diesem wachen Traume!
TEMPELHERR: Du weißt von Nathans Tochter, Sultan. Was
725 Ich für sie tat, das tat ich – weil ich's tat.
Zu stolz, Dank einzuernten, wo ich ihn
Nicht säete, verschmäht ich Tag für Tag,
Das Mädchen noch einmal zu sehn. Der Vater
War fern; er kömmt; er hört; er sucht mich auf;
730 Er dankt; er wünscht, dass seine Tochter mir
Gefallen möge, spricht von Aussicht, spricht
Von heitern Fernen. – Nun, ich lasse mich
Beschwatzen, komme, sehe, finde wirklich
Ein Mädchen ... Ah, ich muss mich schämen, Sultan! –

---

[1] vor dir auf der Hut sein

2735 SALADIN: Dich schämen? – dass ein Judenmädchen auf
Dich Eindruck machte: doch wohl nimmermehr?
TEMPELHERR: Dass diesem Eindruck, auf das liebliche
Geschwätz des Vaters hin, mein rasches Herz
So wenig Widerstand entgegensetzte! –
2740 Ich Tropf! ich sprang zum zweiten Mal ins Feuer. –
Denn nun warb i c h, und nun ward i c h verschmäht.
SALADIN: Verschmäht?
TEMPELHERR: Der weise Vater schlägt nun wohl
Mich platterdings[1] nicht aus. Der weise Vater
Muss aber doch sich erst erkunden, erst
2745 Besinnen. Allerdings! Tat ich denn das
Nicht auch? Erkundete, besann ich denn
Mich erst nicht auch, als sie im Feuer schrie? –
Fürwahr! bei Gott! Es ist doch gar was Schönes,
So weise, so bedächtig sein!
SALADIN: Nun, nun!
2750 So sieh doch einem Alten etwas nach!
Wie lange können seine Weigerungen
Denn dauern? Wird er denn von dir verlangen,
Dass du erst Jude werden sollst?
TEMPELHERR: Wer weiß!
SALADIN: Wer weiß? – der diesen Nathan besser kennt.
2755 TEMPELHERR: Der Aberglaub, in dem wir aufgewachsen,
Verliert, auch wenn wir ihn erkennen, darum
Doch seine Macht nicht über uns. – Es sind
Nicht alle frei, die ihrer Ketten spotten.
SALADIN: Sehr reif bemerkt! Doch Nathan, wahrlich
                                    Nathan ...
2760 TEMPELHERR: Der Aberglauben schlimmster ist, den seinen
Für den erträglichern zu halten ...
SALADIN: Mag
Wohl sein! Doch Nathan ...
TEMPELHERR: Dem allein
Die blöde Menschheit zu vertrauen, bis
Sie hellern Wahrheitstag gewöhne, dem
Allein ...

---

[1] schlichtweg, einfach

765 SALADIN: Gut! Aber Nathan! – Nathans Los
      Ist diese Schwachheit nicht.
  TEMPELHERR: So dacht ich auch! ...
      Wenn gleichwohl dieser Ausbund[1] aller Menschen
      So ein gemeiner Jude wäre, dass
      Er Christenkinder zu bekommen suche,
770   Um sie als Juden aufzuziehn: – wie dann?
  SALADIN: Wer sagt ihm so was nach?
  TEMPELHERR: Das Mädchen selbst,
      Mit welcher er mich körnt[2], mit deren Hoffnung
      Er gern mir zu bezahlen schiene, was
      Ich nicht umsonst für sie getan soll haben: –
775   Dies Mädchen selbst ist seine Tochter – nicht,
      Ist ein verzettelt[3] Christenkind.
  SALADIN: Das er
      Dem ungeachtet dir nicht geben wollte?
  TEMPELHERR: *(heftig)* Woll' oder wolle nicht! Er ist entdeckt.
      Der tolerante Schwätzer ist entdeckt!
780   Ich werde hinter diesen jüd'schen Wolf
      Im philosoph'schen Schafpelz Hunde schon
      Zu bringen wissen, die ihn zausen sollen!
  SALADIN: *(ernst)* Sei ruhig, Christ!
  TEMPELHERR: Was? ruhig, Christ? – Wenn Jud
      Und Muselmann auf Jud, auf Muselmann
785   Bestehen: soll allein der Christ den Christen
      Nicht machen dürfen?
  SALADIN: *(noch ernster)*   Ruhig, Christ!
  TEMPELHERR: *(gelassen)*   Ich fühle
      Des Vorwurfs ganze Last, – die Saladin
      In diese Silbe presst! Ah, wenn ich wüsste,
      Wie Assad, – Assad sich an meiner Stelle
      Hierbei genommen hätte!
790 SALADIN: Nicht viel besser! –
      Vermutlich ganz so brausend! – Doch, wer hat
      Denn dich auch schon gelehrt, mich so wie er

---

[1] Muster
[2] ködert
[3] versprengt, verloren gegangen

Mit e i n e m Worte zu bestechen? Freilich,
Wenn alles sich verhält, wie du mir sagest:

2795 Kann ich mich selber kaum in Nathan finden.–
Indes, er ist mein Freund, und meiner Freunde
Muss keiner mit dem andern hadern. – Lass
Dich weisen! Geh behutsam! Gib ihn nicht
Sofort den Schwärmern[1] deines Pöbels Preis!

2800 Verschweig, was deine Geistlichkeit an ihm
Zu rächen mir so nahelegen würde!
Sei keinem Juden, keinem Muselmanne
Zum Trotz ein Christ!

TEMPELHERR: Bald wär's damit zu spät!
Doch Dank der Blutbegier des Patriarchen,
Des Werkzeug mir zu werden graute!

2805 SALADIN: Wie?
Du kamst zum Patriarchen eher als
Zu mir?

TEMPELHERR: Im Sturm der Leidenschaft, im Wirbel
Der Unentschlossenheit! – Verzeih! – Du wirst
Von deinem Assad, fürcht ich, ferner nun
Nichts mehr in mir erkennen wollen.

2810 SALADIN: Wär
Es diese Furcht nicht selbst! Mich dünkt, ich weiß,
Aus welchen Fehlern unsre Tugend keimt.
Pfleg diese ferner nur, und jene sollen
Bei mir dir wenig schaden. – Aber geh!

2815 Such du nun Nathan, wie er dich gesucht,
Und bring ihn her. Ich muss euch doch zusammen
Verständigen. – Wär um das Mädchen dir
Im Ernst zu tun: sei ruhig. Sie ist dein!
Auch soll es Nathan schon empfinden, dass

2820 Er ohne Schweinefleisch[2] ein Christenkind
Erziehen dürfen! – Geh!
(*Der Tempelherr geht ab, und Sittah verlässt den Sofa*)

---

[1] hier: Fanatikern unter dem Christenvolk
[2] Mohammedanern und Juden ist der Verzehr von Schweinefleisch
nicht erlaubt.

Fünfter Auftritt

Saladin und Sittah

SITTAH: Ganz sonderbar!

SALADIN: Gelt, Sittah? Muss mein Assad nicht ein braver,
    Ein schöner junger Mann gewesen sein?

SITTAH: Wenn er so war, und nicht zu diesem Bilde

825   Der Tempelherr vielmehr gesessen! – Aber
    Wie hast du doch vergessen können, dich
    Nach seinen Eltern zu erkundigen?

SALADIN: Und insbesondre wohl nach seiner Mutter?
    Ob seine Mutter hierzulande nie
    Gewesen sei? – Nicht wahr?

830 SITTAH: Das machst du gut!

SALADIN: O, möglicher wär nichts! Denn Assad war
    Bei hübschen Christendamen so willkommen,
    Auf hübsche Christendamen so erpicht,
    Dass einmal gar die Rede ging – Nun, nun,

835   Man spricht nicht gern davon. – Genug: ich hab
    Ihn wieder! – will mit allen seinen Fehlern,
    Mit allen Launen seines weichen Herzens
    Ihn wieder haben! Oh! das Mädchen muss
    Ihm Nathan geben. Meinst du nicht?

SITTAH: Ihm geben?
    Ihm lassen!

840 SALADIN: Allerdings! Was hätte Nathan,
    Sobald er nicht ihr Vater ist, für Recht
    Auf sie? Wer ihr das Leben so erhielt,
    Tritt einzig in die Rechte des, der ihr
    Es gab.

SITTAH: Wie also, Saladin? Wenn du

845   Nur gleich das Mädchen zu dir nähmst? Sie nur
    Dem unrechtmäßigen Besitzer gleich
    Entzögest?

SALADIN: Täte das wohl not?

SITTAH: Not nun
    Wohl eben nicht! – Die liebe Neubegier
    Treibt mich allein, dir diesen Rat zu geben;

2850   Denn von gewissen Männern mag ich gar
    Zu gern so bald wie möglich wissen, was

Sie für ein Mädchen lieben können.

SALADIN: Nun,
So schick und lass sie holen.

SITTAH: Darf ich, Bruder?

SALADIN: Nur schone Nathans! Nathan muss durchaus
2855   Nicht glauben, dass man mit Gewalt ihn von
Ihr trennen wolle.

SITTAH: Sorge nicht!

SALADIN: Und ich,
Ich muss schon selbst sehn, wo Al-Hafi bleibt.

Sechster Auftritt

*Szene: die offne Flur in Nathans Hause, gegen die
Palmen zu, wie im ersten Auftritte des ersten
Aufzuges. Ein Teil der Waren und Kostbarkeiten
liegt ausgekramt, deren ebendaselbst gedacht wird.
Nathan und Daja*

DAJA: O, alles herrlich! alles auserlesen!
O, alles – wie nur Ihr es geben könnt.
2860   Wo wird der Silberstoff mit goldnen Ranken
Gemacht? Was kostet er? – Das nenn ich noch
Ein Brautkleid! Keine Königin verlangt
Es besser.

NATHAN: Brautkleid? Warum Brautkleid eben?

DAJA: Je nun! Ihr dachtet daran freilich nicht,
2865   Als Ihr ihn kauftet. – Aber wahrlich, Nathan,
Der und kein andrer muss es sein! Er ist
Zum Brautkleid wie bestellt. Der weiße Grund:
Ein Bild der Unschuld! und die goldnen Ströme,
Die aller Orten diesen Grund durchschlängeln:
2870   Ein Bild des Reichtums. Seht Ihr? Allerliebst!

NATHAN: Was witzelst du mir da? Von wessen Brautkleid
Sinnbilderst du mir so gelehrt? – Bist du
Denn Braut?

DAJA: Ich?

NATHAN: Nun wer denn?

DAJA: Ich? – lieber Gott!

NATHAN: Wer denn? Von wessen Brautkleid sprichst du
denn?

Das alles ist ja dein und keiner andern.

DAJA: Ist mein? Soll mein sei? – Ist für Recha nicht?

NATHAN: Was ich für Recha mitgebracht, das liegt
In einem andern Ballen. Mach! nimm weg!
Trag deine Siebensachen fort!

DAJA: Versucher!

80 Nein, wären es die Kostbarkeiten auch
Der ganzen Welt! Nicht rühr an! Wenn Ihr mir
Vorher nicht schwört, von dieser einzigen
Gelegenheit, dergleichen Euch der Himmel
Nicht zweimal schicken wird, Gebrauch zu machen.

85 NATHAN: Gebrauch? Von was? – Gelegenheit? Wozu?

DAJA: O, stellt Euch nicht so fremd! – Mit kurzen Worten:
Der Tempelherr liebt Recha: gebt sie ihm!
So hat doch einmal Eure Sünde, die
Ich länger nicht verschweigen kann, ein Ende.

90 So kömmt das Mädchen wieder unter Christen,
Wird wieder, was sie ist, ist wieder, was
Sie ward, und Ihr, Ihr habt mit all dem Guten,
Das wir Euch nicht genug verdanken können,
Nicht Feuerkohlen bloß auf Euer Haupt
Gesammelt[1]. Doch die alte Leier wieder? –

95 NATHAN:
Mit einer neuen Saite nur bezogen,
Die, fürcht ich, weder stimmt noch hält.

DAJA: Wieso?

NATHAN: Mir wär der Tempelherr schon recht. Ihm gönnt
Ich Recha mehr als einem in der Welt.
Allein ... Nun, habe nur Geduld.

900 DAJA: Geduld?

Geduld ist Eure alte Leier nun
Wohl nicht?

NATHAN: Nur wenig Tage noch Geduld! ...
Sieh doch! – Wer kömmt denn dort? Ein Klosterbruder?
Geh, frag ihn, was er will.

---

[1] bildhaft für: so gehandelt, dass Ihr Euch nur schämen müsst

DAJA: Was wird er wollen?
(Sie geht auf ihn zu und fragt)
2905 NATHAN: So gib! – und eh er bittet. – (Wüsst ich nur
Dem Tempelherrn erst beizukommen, ohne
Die Ursach meiner Neugier ihm zu sagen!
Denn wenn ich sie ihm sag, und der Verdacht
Ist ohne Grund: so hab ich ganz umsonst
2910 Den Vater auf das Spiel gesetzt.) – Was ist's?
DAJA: Er will Euch sprechen.
NATHAN: Nun, so lass ihn kommen,
Und geh indes.

Siebter Auftritt

Nathan und der Klosterbruder

NATHAN: (Ich bliebe Rechas Vater
Doch gar zu gern! – Zwar kann ich's denn nicht bleiben,
Auch wenn ich aufhör, es zu heißen? – Ihr,
2915 Ihr selbst werd ich's doch immer auch noch heißen,
Wenn sie erkennt, wie gern ich's wäre.) – Geh! –
Was ist zu Euern Diensten, frommer Bruder?
KLOSTERBRUDER: Nicht eben viel. – Ich freue mich, Herr
Nathan,
Euch annoch[1] wohl zu sehn.
NATHAN: So kennt Ihr mich?
2920 KLOSTERBRUDER: Je nu[2], wer kennt Euch nicht? Ihr habt so
manchem
Ja Euern Namen in die Hand gedrückt!
Er steht in meiner auch seit vielen Jahren.
NATHAN: *(nach seinem Beutel langend)*
Kommt, Bruder, kommt! ich frisch' ihn auf.
KLOSTERBRUDER: Habt Dank!
Ich würd es Ärmern stehlen; nehme nichts. –
2925 Wenn Ihr mir nur erlauben wollt, ein wenig
Euch m e i n e n Namen aufzufrischen. Denn
Ich kann mich rühmen, auch in E u r e Hand

---

[1] noch
[2] ja nun

Etwas gelegt zu haben, was nicht zu
Verachten war.

NATHAN: Verzeiht! – Ich schäme mich –
30   Sagt, was? – und nehmt zur Buße siebenfach
Den Wert desselben von mir an.

KLOSTERBRUDER: Hört doch
Vor allen Dingen, wie ich selber nur
Erst heut an dies mein Euch vertrautes Pfand
Erinnert worden.

NATHAN: Mir vertrautes Pfand?

35 KLOSTERBRUDER: Vor Kurzem saß ich noch als Eremit[1]
Auf Quarantana[2], unweit Jericho.
Da kam arabisch Raubgesindel, brach
Mein Gotteshäuschen ab und meine Zelle
Und schleppte mich mit fort. Zum Glück entkam
40   Ich noch und floh hierher zum Patriarchen,
Um mir ein ander Plätzchen auszubitten,
Allwo ich meinem Gott in Einsamkeit
Bis an mein selig Ende dienen könne.

NATHAN: Ich steh auf Kohlen, guter Bruder. Macht
45   Es kurz! Das Pfand, das mir vertraute Pfand!

KLOSTERBRUDER: Sogleich, Herr Nathan. – Nun, der
                                          Patriarch
Versprach mir eine Siedelei auf Tabor[3];
Sobald als eine leer, und hieß inzwischen
Im Kloster mich als Laienbruder bleiben.
50   Da bin ich itzt, Herr Nathan, und verlange
Des Tags wohl hundertmal auf Tabor. Denn
Der Patriarch braucht mich zu allerlei,
Wovor ich großen Ekel habe. Zum
Exempel:

NATHAN: Macht, ich bitt Euch!

KLOSTERBRUDER: Nun, es kömmt! –
55   Da hat ihm jemand heut ins Ohr gesetzt:
Es lebe hier herum ein Jude, der

---

[1]   Einsiedlermönch
[2]   Berg zwischen Jericho und Jerusalem, auf dem Jesus 40 Tage lang
      gefastet haben soll
[3]   Berg in der Nähe von Nazareth

Ein Christenkind als seine Tochter sich
Erzöge.
NATHAN: Wie? (*betroffen*)
KLOSTERBRUDER: Hört mich nur aus! – Indem
Er mir nun aufträgt, diesem Juden stracks[1]
2960 Wo möglich, auf die Spur zu kommen, und
Gewaltig sich ob eines solchen Frevels
Erzürnt, der ihm die wahre Sünde wider
Den heil'gen Geist bedünkt[2] – das ist, die Sünde,
Die aller Sünden größte Sünd uns gilt,
2965 Nur dass wir, Gott sei Dank, so recht nicht wissen,
Worin sie eigentlich besteht – da wacht
Mit einmal mein Gewissen auf, und mir
Fällt bei, ich könnte selber wohl vor Zeiten
Zu dieser unverzeihlich großen Sünde
2970 Gelegenheit gegeben haben. – Sagt:
Hat Euch ein Reitknecht nicht vor achtzehn Jahren
Ein Töchterchen gebracht von wenig Wochen?
NATHAN: Wie das? – Nun freilich – allerdings –
KLOSTERBRUDER: Ei, seht
Mich doch recht an! – Der Reitknecht, der bin ich.
NATHAN: Seid Ihr?
KLOSTERBRUDER: Der Herr, von welchem ich's Euch
2975 brachte,
War – ist mir recht – ein Herr von Filnek. – Wolf
von Filnek!
NATHAN: Richtig!
KLOSTERBRUDER: Weil die Mutter kurz
Vorher gestorben war und sich der Vater
Nach – mein ich – Gazza[3] plötzlich werfen musste,
2980 Wohin das Würmchen ihm nicht folgen konnte:
So sandt er's Euch. Und traf ich Euch damit
Nicht in Darun[4]?
NATHAN: Ganz recht!

---

[1] unverzüglich
[2] scheint
[3] Ghaza, Hafenstadt im Süden Palästinas
[4] kleiner Ort in der Nähe von Ghaza

KLOSTERBRUDER: Es wär kein Wunder,
　　Wenn mein Gedächtnis mich betrög. Ich habe
　　Der braven Herrn so viel gehabt, und diesem
85　Hab ich nur gar zu kurze Zeit gedient.
　　Er blieb[1] bald drauf bei Askalon[2]; und war
　　Wohl sonst ein lieber Herr.
NATHAN: Jawohl! Jawohl!
　　Dem ich so viel, so viel zu danken habe!
　　Der mehr als einmal mich dem Schwert entrissen!
90　KLOSTERBRUDER: O schön! So werd't Ihr seines Töchterchens
　　Euch umso lieber angenommen haben.
NATHAN: Das könnt Ihr denken.
KLOSTERBRUDER: Nun, wo ist es denn?
　　Es ist doch wohl nicht etwa gar gestorben? –
　　Lasst's lieber nicht gestorben sein! – Wenn sonst
95　Nur niemand um die Sache weiß, so hat
　　Es gute Wege[3].
NATHAN: Hat es?
KLOSTERBRUDER: Traut mir, Nathan!
　　Denn seht, ich denke so! Wenn an das Gute,
　　Das ich zu tun vermeine, gar zu nah
　　Was gar zu Schlimmes grenzt, so tu ich lieber
100　Das Gute nicht, weil wir das Schlimme zwar
　　So ziemlich zuverlässig kennen, aber
　　Bei Weitem nicht das Gute. – War ja wohl
　　Natürlich, wenn das Christentöchterchen
　　Recht gut von Euch erzogen werden sollte,
105　Dass Ihr's als Euer eigen Töchterchen
　　Erzögt. – Das hättet Ihr mit aller Lieb'
　　Und Treue nun getan, und müsstet so
　　Belohnet werden? Das will mir nicht ein.[4]
　　Ei freilich, klüger hättet Ihr getan,
110　Wenn Ihr die Christin durch die zweite Hand
　　Als Christin auferziehen lassen: aber
　　So hättet Ihr das Kindchen Eures Freunds

---

[1]　fiel
[2]　Hafenstadt nördlich von Ghaza
[3]　so ist es gut, in Ordnung
[4]　Das leuchtet mir nicht ein.

Auch nicht geliebt. Und Kinder brauchen Liebe,
Wär's eines wilden Tieres Lieb auch nur,
3015 In solchen Jahren mehr als Christentum,
Zum Christentume hat's noch immer Zeit.
Wenn nur das Mädchen sonst gesund und fromm
Vor Euern Augen aufgewachsen ist,
So blieb's vor Gottes Augen, was es war.
3020 Und ist denn nicht das ganze Christentum
Aufs Judentum gebaut? Es hat mich oft
Geärgert, hat mir Tränen g'nug gekostet,
Wenn Christen gar so sehr vergessen konnten,
Dass unser Herr ja selbst ein Jude war.
3025 NATHAN: Ihr, guter Bruder, müsst mein Fürsprach sein,
Wenn Hass und Gleisnerei[1] sich gegen mich
Erheben sollten – wegen einer Tat –
Ah, wegen einer Tat! – Nur Ihr, Ihr sollt
Sie wissen! – Nehmt sie aber mit ins Grab!
3030 Noch hat mich nie die Eitelkeit versucht,
Sie jemand andern zu erzählen. Euch
Allein erzähl ich sie. Der frommen Einfalt
Allein erzähl ich sie. Weil die allein
Versteht, was sich der gottergebne Mensch
Für Taten abgewinnen kann.
3035 KLOSTERBRUDER: Ihr seid
Gerührt, und Euer Auge steht voll Wasser?
NATHAN: Ihr traft mich mit dem Kinde zu Darun.
Ihr wisst wohl aber nicht, dass wenig Tage
Zuvor in Gath[2] die Christen alle Juden
3040 Mit Weib und Kind ermordet hatten, wisst
Wohl nicht, dass unter diesen meine Frau
Mit sieben hoffnungsvollen Söhnen sich
Befunden, die in meines Bruders Hause,
Zu dem ich sie geflüchtet, insgesamt
Verbrennen müssen.
KLOSTERBRUDER: Allgerechter!
3045 NATHAN: Als
Ihr kamt, hatt ich drei Tag und Nächt in Asch

---

[1] Heuchelei
[2] Stadt nordwestlich von Jerusalem

Und Staub vor Gott gelegen und geweint. –
Geweint? Beiher mit Gott auch wohl gerechnet,
Gezürnt, getobt, mich und die Welt verwünscht,
50 Der Christenheit den unversöhnlichsten
Hass zugeschworen –
KLOSTERBRUDER: Ach! Ich glaub's Euch wohl!
NATHAN: Doch nun kam die Vernunft allmählich wieder.
Sie sprach mit sanfter Stimm: „und doch ist Gott!
Doch war auch Gottes Ratschluss das! Wohlan!
55 Komm! übe, was du längst begriffen hast,
Was sicherlich zu üben schwerer nicht
Als zu begreifen ist, wenn du nur willst.
Steh auf!" – Ich stand! und rief zu Gott: ich will!
Willst du nur, dass ich will! – Indem stiegt Ihr
60 Vom Pferd und überreichtet mir das Kind,
In Euern Mantel eingehüllt. – Was Ihr
Mir damals sagtet, was ich euch, hab ich
Vergessen. So viel weiß ich nur: ich nahm
Das Kind, trug's auf mein Lager, küsst es, warf
65 Mich auf die Knie und schluchzte: Gott! auf Sieben
Doch nun schon Eines wieder!
KLOSTERBRUDER: Nathan! Nathan!
Ihr seid ein Christ! – Bei Gott, ihr seid ein Christ!
Ein bessrer Christ war nie!
NATHAN: Wohl uns! Denn was
Mich Euch zum Christen macht, das macht Euch mir
70 Zum Juden! – Aber lasst uns länger nicht
Einander nur erweichen. Hier braucht's Tat!
Und ob mich siebenfache Liebe schon
Bald an dies einz'ge fremde Mädchen band,
Ob der Gedanke mich schon tötet, dass
75 Ich meine sieben Söhn' in ihr aufs Neue
Verlieren soll: – wenn sie von meinen Händen
Die Vorsicht[1] wieder fodert[2], – ich gehorche!
KLOSTERBRUDER: Nun vollends! – Eben das bedacht ich mich
So viel, Euch anzuraten! Und so hat's
80 Euch Euer guter Geist schon angeraten!

---

[1] Vorsehung
[2] fordert

NATHAN: Nur muss der erste Beste mir sie nicht
    Entreißen wollen!
KLOSTERBRUDER: Nein, gewiss nicht!
NATHAN: Wer
    Auf sie nicht größre Rechte hat als ich,
    Muss frühere zum mind'sten haben –
KLOSTERBRUDER: Freilich!
NATHAN: Die ihm Natur und Blut erteilen.
KLOSTERBRUDER: So
3085   Mein ich es auch!
NATHAN: Drum nennt mir nur geschwind
    Den Mann, der ihr als Bruder oder Ohm[1],
    Als Vetter oder sonst als Sipp[2] verwandt:
    Ihm will ich sie nicht vorenthalten – Sie,
3090   Die jedes Hauses, jedes Glaubens Zierde
    Zu sein erschaffen und erzogen ward. –
    Ich hoff, Ihr wisst von diesem Euern Herrn
    Und dem Geschlechte dessen mehr als ich.
KLOSTERBRUDER: Das, guter Nathan, wohl nun schwerlich! –
                             Denn
3095   Ihr habt ja schon gehört, dass ich nur gar
    Zu kurze Zeit bei ihm gewesen.
NATHAN: Wisst
    Ihr denn nicht wenigstens, was für Geschlechts
    Die Mutter war? – War sie nicht eine Stauffin?
KLOSTERBRUDER: Wohl möglich! – Ja, mich dünkt –
NATHAN: Hieß nicht ihr Bruder
3100   Konrad von Stauffen – und war Tempelherr?
KLOSTERBRUDER: Wenn mich's nicht trügt. Doch halt! Da fällt
                          mir ein,
    Dass ich vom sel'gen Herrn ein Büchelchen
    Noch hab. Ich zog's ihm aus dem Busen, als
    Wir ihn bei Askalon verscharrten.
NATHAN: Nun?
3105 KLOSTERBRUDER: Es sind Gebete drin. Wir nennen's ein
    Brevier[3]. – Das, dacht ich, kann ein Christenmensch

---

[1] Onkel
[2] Blutsverwandter
[3] Gebetbuch des Priesters

Ja wohl noch brauchen. – Ich nun freilich nicht –
Ich kann nicht lesen –
NATHAN: Tut nichts! – Nur zur Sache.
KLOSTERBRUDER: In diesem Büchelchen stehn vorn und
hinten,
Wie ich mir sagen lassen, mit des Herrn
Selbsteigner Hand die Angehörigen
Von ihm und ihr geschrieben.
NATHAN: O, erwünscht!
Geht! lauft! holt mir das Büchelchen. Geschwind!
Ich bin bereit, mit Gold es aufzuwiegen
Und tausend Dank dazu! Eilt! lauft!
KLOSTERBRUDER: Recht gern!
Es ist Arabisch aber, was der Herr
Hineingeschrieben. *(Ab)*
NATHAN: Einerlei! Nur her! –
Gott! wenn ich doch das Mädchen noch behalten
Und einen solchen Eidam[1] mir damit
Erkaufen könnte! – Schwerlich wohl! – Nun, fall
Es aus, wie's will! – Wer mag es aber denn
Gewesen sein, der bei dem Patriarchen
So etwas angebracht? Das muss ich doch
Zu fragen nicht vergessen. – Wenn es gar
Von Daja käme?

Achter Auftritt

Daja und Nathan

DAJA: *(eilig und verlegen)* Denkt doch, Nathan!
NATHAN: Nun?
DAJA: Das arme Kind erschrak wohl recht darüber!
Da schickt ...
NATHAN: Der Patriarch?
DAJA: Des Sultans Schwester,
Prinzessin Sittah ...
NATHAN: Nicht der Patriarch?
DAJA: Nein, Sittah! – Hört Ihr nicht? – Prinzessin Sittah
Schickt her und lässt sie zu sich holen.

---

[1] Schwiegersohn

3030 NATHAN: Wen?
Lässt Recha holen? – Sittah lässt sie holen? –
Nun, wenn sie Sittah holen lässt und nicht
Der Patriarch ...
DAJA: Wie kommt Ihr denn auf den?
NATHAN: So hast du kürzlich nichts von ihm gehört?
Gewiss nicht? Auch ihm nichts gesteckt[1]?
3135 DAJA: Ich? ihm?
NATHAN: Wo sind die Boten?
DAJA: Vorn.
NATHAN: Ich will sie doch
Aus Vorsicht selber sprechen. Komm! – Wenn nur
Vom Patriarchen nichts dahintersteckt.   (*Ab*)
DAJA: Und ich – ich fürchte ganz was anders noch.
3140 Was gilt's? die einzige vermeinte[2] Tochter
So eines reichen Juden wär auch wohl
Für einen Muselmann nicht übel? – Hui,
Der Tempelherr ist drum[3]! Ist drum: wenn ich
Den zweiten Schritt nicht auch noch wage, nicht
3145 Auch ihr noch selbst entdecke[4], wer sie ist! –
Getrost! Lass mich den ersten Augenblick,
Den ich allein sie habe, dazu brauchen!
Und der wird sein – vielleicht nun eben, wenn
Ich sie begleite. So ein erster Wink
3150 Kann unterwegens wenigstens nicht schaden.
Ja! ja! Nur zu! Itzt oder nie! Nur zu! (*Ihm nach*)

---

[1] heimlich mitgeteilt
[2] vermeintliche, angebliche
[3] ist um sie gebracht, hat sie verloren
[4] aufdecke

Fünfter Aufzug

Erster Auftritt

Szene: das Zimmer in Saladins Palaste,
in welches die Beutel mit Gold getragen worden,
die noch zu sehen.
Saladin und bald darauf verschiedne Mamelucken[1]

SALADIN *im Hereintreten:*
    Da steht das Geld nun noch! Und niemand weiß
    Den Derwisch aufzufinden, der vermutlich
    Ans Schachbrett irgendwo geraten ist,
55   Das ihn wohl seiner selbst vergessen macht. –
    Warum nicht meiner? – Nun, Geduld! Was gibts?
EIN MAMELUCK: Erwünschte Nachricht, Sultan! Freude,
                          Sultan! ...
    Die Karawane von Kahira[2] kömmt,
    Ist glücklich da! Mit siebenjährigem
    Tribut des reichen Nils.
60 SALADIN: Brav, Ibrahim!
    Du bist mir wahrlich ein willkommner Bote! –
    Ha! endlich einmal! endlich! – Habe Dank
    Der guten Zeitung[3].
DER MAMELUCK: *(wartend)* (Nun? nur her damit!)
SALADIN: Was wart'st du? – Geh nur wieder.
DER MAMELUCK: Dem Willkommnen
    Sonst nichts?
SALADIN: Was denn noch sonst?
65 DER MAMELUCK: Dem guten Boten
    Kein Botenbrot[4]? – So wär ich ja der Erste,
    Den Saladin mit Worten abzulohnen
    Doch endlich lernte? – Auch ein Ruhm! – Der Erste,
    Mit dem er knickerte[5].

---

[1] Sklaven türkischer Herkunft
[2] Kairo
[3] Nachricht
[4] Lohn
[5] knauserig, geizig umging

SALADIN: So nimm dir nur
Dort einen Beutel.

3170 DER MAMELUCK: Nein, nun nicht! Du kannst
Mir sie nun alle schenken wollen.

SALADIN: Trotz! –
Komm her! Da hast du zwei. – Im Ernst? es geht?
Tut mir's an Edelmut zuvor? – Denn sicher
Muss ihm es saurer werden auszuschlagen,

3175 Als mir zu geben. – Ibrahim! – Was kömmt
Mir denn auch ein, so kurz vor meinem Abtritt[1]
Auf einmal ganz ein andrer sein zu wollen? –
Will Saladin als Saladin nicht sterben? –
So musst' er auch als Saladin nicht leben.

EIN ZWEITER MAMELUCK: Nun, Sultan! ...

3180 SALADIN: Wenn du mir zu melden kömmst ...

ZWEITER MAMELUCK: Dass aus Ägypten der Transport nun da!

SALADIN: Ich weiß schon.

ZWEITER MAMELUCK: Kam ich doch zu spät!

SALADIN: Warum
Zu spät? – Da, nimm für deinen guten Willen
Der Beutel einen oder zwei.

ZWEITER MAMELUCK: Macht drei.

3185 SALADIN: Ja, wenn du rechnen kannst! – So nimm sie nur.

ZWEITER MAMELUCK: Es wird wohl noch ein Dritter kommen, –
                                                    wenn
Er anders kommen kann.

SALADIN: Wie das?

ZWEITER MAMELUCK: Je nu[2];
Er hat auch wohl den Hals gebrochen! Denn
Sobald wir drei der Ankunft des Transports

3190 Versichert waren, sprengte jeder frisch
Davon. Der Vorderste, der stürzt', und so
Komm ich nun vor und bleib auch vor bis in
Die Stadt, wo aber Ibrahim, der Lecker[3],
Die Gassen besser kennt.

---

[1] Tod; der historische Saladin stirbt 1193
[2] Ja nun
[3] Leckermaul, Schelm

SALADIN: O, der Gestürzte!

95   Freund, der Gestürzte! – Reit ihm doch entgegen.

ZWEITER MAMELUCK: Das werd ich ja wohl tun! – Und wenn

                                er lebt

    So ist die Hälfte dieser Beutel sein.   *(Geht ab)*

SALADIN: Sieh, welch ein guter, edler Kerl auch das! –

    Wer kann sich solcher Mamelucken rühmen?

00   Und wär mir denn zu denken nicht erlaubt,

    Dass sie mein Beispiel bilden helfen[1]? – Fort

    Mit dem Gedanken, sie zu guter Letzt

    Noch an ein anders zu gewöhnen! ...

EIN DRITTER MAMELUCK: Sultan ...

SALADIN: Bist du's, der stürzte?

DRITTER MAMELUCK: Nein. Ich melde nur, –

05   Dass Emir[2] Mansor, der die Karawane

    Geführt, vom Pferde steigt ...

SALADIN: Bring ihn! geschwind! –

    Da ist er ja! –

Zweiter Auftritt

Emir Mansor und Saladin

SALADIN: Willkommen, Emir! Nun,

    Wie ist's gegangen? – Mansor, Mansor, hast

    Uns lange warten lassen!

MANSOR: Dieser Brief

10   Berichtet, was dein Abulkassem[3] erst

    Für Unruh in Thebais[4] dämpfen müssen,

    Eh wir es wagen durften abzugehen.

    Den Zug darauf hab ich beschleuniget

    So viel, wie möglich war.

SALADIN: Ich glaube dir! –

15   Und nimm nur, guter Mansor, nimm sogleich ...

    Du tust es aber doch auch gern? ... nimm frische

---

[1] mein Beispiel sie so gemacht hat

[2] arabischer Fürstentitel

[3] von Lessing erfundener Personenname

[4] Bezeichnung für Oberägypten

Bedeckung[1] nur sogleich. Du musst sogleich
Noch weiter, musst der Gelder größern Teil
Auf Libanon zum Vater bringen.

MANSOR: Gern!
Sehr gern!

3220 SALADIN: Und nimm dir die Bedeckung ja
Nur nicht zu schwach. Es ist um Libanon
Nicht alles mehr so sicher. Hast du nicht
Gehört? Die Tempelherrn sind wieder rege.
Sei wohl auf deiner Hut! – Komm nur! Wo hält
3225 Der Zug? Ich will ihn sehn und alles selbst
Betreiben[2]. – Ihr! Ich bin sodann bei Sittah.

Dritter Auftritt

Szene: die Palmen vor Nathans Hause, wo der Tempel-
herr auf und nieder geht

TEMPELHERR: Ins Haus nun will ich einmal nicht. – Er wird
Sich endlich doch wohl sehen lassen! – Man
Bemerkte mich ja sonst so bald, so gern! –
3230 Will's noch erleben, dass er sich's verbittet,
Vor seinem Hause mich so fleißig finden
Zu lassen. – Hm! – ich bin doch aber auch
Sehr ärgerlich. – Was hat mich denn nun so
Erbittert gegen ihn? – Er sagte ja:
3235 Noch schlüg er mir nichts ab. Und Saladin
Hat's über sich genommen, ihn zu stimmen[3]. –
Wie? sollte wirklich wohl in mir der Christ
Noch tiefer nisten als in ihm der Jude? –
Wer kennt sich recht? Wie könnt ich ihm denn sonst
3240 Den kleinen Raub nicht gönnen wollen, den
Er sich's zu solcher Angelegenheit
Gemacht, den Christen abzujagen? – Freilich:
Kein kleiner Raub, ein solch Geschöpf! – Geschöpf?
Und wessen? – Doch des Sklaven nicht, der auf

---

[1] Begleitschutz durch Soldaten
[2] in die Wege leiten, organisieren
[3] ihn umzustimmen

45 Des Lebens öden Strand den Block geflößt[1]
   Und sich davongemacht? Des Künstlers doch
   Wohl mehr, der in dem hingeworfnen Blocke
   Die göttliche Gestalt sich dachte, die
   Er darstellt? – Ach! Rechas wahrer Vater
50 Bleibt, trotz dem Christen, der sie zeugte, – bleibt
   In Ewigkeit der Jude. – Wenn ich mir
   Sie lediglich als Christendirne[2] denke,
   Sie sonder[3] alles das mir denke, was
   Allein ihr so ein Jude geben könnte: –
55 Sprich, Herz – was wär an ihr, das dir gefiel?
   Nichts! wenig! Selbst ihr Lächeln, wär es nichts
   Als sanfte, schöne Zuckung ihrer Muskeln,
   Wär, was sie lächeln macht, des Reizes unwert,
   In den es sich auf ihrem Munde kleidet: –
60 Nein, selbst ihr Lächeln nicht! Ich hab' es ja
   Wohl schöner noch an Aberwitz[4], an Tand[5],
   An Höhnerei[6], an Schmeichler und an Buhler[7]
   Verschwenden sehn? – Hat's da mich auch bezaubert?
   Hat's da mir auch den Wunsch entlockt, mein Leben
65 In seinem Sonnenscheine zu verflattern[8]? –
   Ich wüsste nicht. Und bin auf den doch launisch,
   Der diesen höhern Wert allein ihr gab?
   Wie das? warum? – Wenn ich den Spott verdiente,
   Mit dem mich Saladin entließ! Schon schlimm
70 Genug, dass Saladin es glauben konnte!
   Wie klein ich ihm da scheinen musste! wie
   Verächtlich! – Und das alles um ein Mädchen? –
   Curd! Curd! das geht so nicht. Lenk ein! Wenn vollends
   Mir Daja nur was vorgeplaudert hätte,
75 Was schwerlich zu erweisen stünde? – Sieh,

---

[1] einen unbehauenen Stein oder Holzblock auf einem Fluss hergebracht
[2] einfaches Christenmädchen
[3] ohne
[4] Unverstand, Dummheit
[5] wertloses Zeug
[6] Verspottung
[7] Liebhaber, auch Schöntuer
[8] auszukosten, auszuleben

Da tritt er endlich, in Gespräch vertieft,
Aus seinem Hause! – Ha! mit wem! – Mit ihm?
Mit meinem Klosterbruder? – Ha! so weiß
Er sicherlich schon alles! ist wohl gar
3280 Dem Patriarchen schon verraten! – Ha!
Was hab ich Querkopf nun gestiftet! – Dass
Ein einz'ger Funken dieser Leidenschaft
Doch unsers Hirns so viel verbrennen kann! –
Geschwind, entschließ dich, was nunmehr zu tun!
3285 Ich will hier seitwärts ihrer warten, – ob
Vielleicht der Klosterbruder ihn verlässt.

Vierter Auftritt

Nathan und der Klosterbruder

NATHAN *im Näherkommen*
          Habt nochmals, guter Bruder, vielen Dank!
KLOSTERBRUDER: Und Ihr desgleichen!
NATHAN: Ich? Von Euch? Wofür?
     Für meinen Eigensinn, Euch aufzudringen,
3290 Was Ihr nicht braucht[1]? – Ja, wenn ihm Eurer nur
     Auch nachgegeben hätt, Ihr mit Gewalt
     Nicht wolltet reicher sein als ich.
KLOSTERBRUDER: Das Buch
     Gehört ja ohnedem[2] nicht mir, gehört
     Ja ohnedem der Tochter, ist ja so
3295 Der Tochter ganzes väterliches Erbe. –
     Je nu[3], sie hat ja Euch. – Gott gebe nur,
     Dass Ihr es nie bereuen dürft, so viel
     Für sie getan zu haben!
NATHAN: Kann ich das?
     Das kann ich nie. Seid unbesorgt!
KLOSTERBRUDER: Nu, nu!
3300 Die Patriarchen und die Tempelherren ...

---

[1] offensichtlich auf ein Geldgeschenk Nathans bezogen
[2] ohnehin
[3] ja nun

NATHAN: Vermögen mir des Bösen nie so viel
 Zu tun, dass irgendwas mich reuen könnte:
 Geschweige, das! – Und seid Ihr denn so ganz
 Versichert, dass ein Tempelherr es ist,
 Der Euern Patriarchen hetzt?
305 KLOSTERBRUDER: Es kann
 Beinah kein andrer sein. Ein Tempelherr
 Sprach kurz vorher mit ihm, und was ich hörte,
 Das klang darnach.
NATHAN: Es ist doch aber nur
 Ein einziger itzt in Jerusalem.
310 Und diesen kenn ich. Dieser ist mein Freund,
 Ein junger, edler, offner Mann!
KLOSTERBRUDER: Ganz recht,
 Der Nämliche! – Doch was man ist und was
 Man sein muss in der Welt, das passt ja wohl
 Nicht immer.
NATHAN: Leider nicht. – So tue, wer's
315 Auch immer ist, sein Schlimmstes oder Bestes!
 Mit euerm Buche, Bruder, trotz' ich allen;
 Und gehe graden Wegs damit zum Sultan.
KLOSTERBRUDER: Viel Glücks! Ich will Euch denn nur hier ver-
               lassen.
NATHAN: Und habt sie nicht einmal gesehn! – Kommt ja
320 Doch bald, doch fleißig[1] wieder. – Wenn nur heut
 Der Patriarch noch nichts erfährt! – Doch was?
 Sagt ihm auch heute, was Ihr wollt.
KLOSTERBRUDER: Ich nicht.
 Lebt wohl!   *(Geht ab)*
NATHAN: Vergesst uns ja nicht, Bruder! – Gott!
 Dass ich nicht gleich hier unter freiem Himmel
325 Auf meine Knie sinken kann! Wie sich
 Der Knoten, der so oft mir Bange machte,
 Nun von sich selber löset! – Gott, wie leicht
 Mir wird, dass ich nun weiter auf der Welt
 Nichts zu verbergen habe! dass ich vor
330 Den Menschen nun so frei kann wandeln als
 Vor dir, der du allein den Menschen nicht

---

[1] häufig

Nach seinen Taten brauchst zu richten, die
So selten seine Taten sind, o Gott! –

Fünfter Auftritt

Nathan und der Tempelherr, der von der Seite
auf ihn zukömmt

TEMPELHERR: He! wartet, Nathan, nehmt mich mit!
NATHAN: Wer ruft? –
3335   Seid Ihr es, Ritter? Wo gewesen, dass
Ihr bei dem Sultan Euch nicht treffen lassen?
TEMPELHERR: Wir sind einander fehlgegangen[1]. Nehmt's
Nicht übel!
NATHAN: Ich nicht, aber Saladin ...
TEMPELHERR: Ihr wart nur eben fort ...
NATHAN: Und spracht ihn doch?
Nun, so ist's gut.
3340 TEMPELHERR: Er will uns aber beide
Zusammen sprechen.
NATHAN: Desto besser. Kommt
Nur mit. Mein Gang stand ohnehin zu ihm. –
TEMPELHERR: Ich darf ja doch wohl fragen, Nathan, wer
Euch da verließ.
NATHAN: Ihr kennt ihn doch wohl nicht?
3345 TEMPELHERR: War's nicht die gute Haut, der Laienbruder,
Des sich der Patriarch so gern zum Stöber[2]
Bedient?
NATHAN: Kann sein! Beim Patriarchen ist
Er allerdings.
TEMPELHERR: Der Pfiff[3] ist gar nicht übel:
Die Einfalt vor der Schurkerei voraus-
Zuschicken.
3350 NATHAN: Ja, die dumme, – nicht die fromme.
TEMPELHERR: An fromme glaubt kein Patriarch.

---

[1] Wir haben uns verpasst
[2] Spürhund, Spion
[3] Trick, Idee

NATHAN: Für den
    Nun steh ich. Der wird seinem Patriarchen
    Nichts Ungebührliches vollziehen helfen.
TEMPELHERR: So stellt er wenigstens sich an. – Doch hat
    Er Euch von mir denn nichts gesagt?
3355 NATHAN: Von Euch?
    Von Euch nun namentlich wohl nichts. – Er weiß
    Ja wohl auch schwerlich Euern Namen?
TEMPELHERR: Schwerlich.
NATHAN: Von einem Tempelherren freilich hat
    Er mir gesagt ...
TEMPELHERR: Und was?
NATHAN: Womit er Euch
3360   Doch ein für allemal nicht meinen kann!
TEMPELHERR: Wer weiß? Lasst doch nur hören.
NATHAN: Dass mich einer
    Bei seinem Patriarchen angeklagt ...
TEMPELHERR: Euch angeklagt? – Das ist, mit seiner Gunst –
    Erlogen. – Hört mich, Nathan! – Ich bin nicht
3365   Der Mensch, der irgendetwas abzuleugnen
    Imstande wäre. Was ich tat, das tat ich!
    Doch bin ich auch nicht der, der alles, was
    Er tat, als wohlgetan verteid'gen möchte.
    Was sollt ich eines Fehls[1] mich schämen? Hab
3370   Ich nicht den festen Vorsatz, ihn zu bessern?
    Und weiß ich etwa nicht, wie weit mit dem
    Es Menschen bringen können? – Hört mich, Nathan! –
    Ich bin des Laienbruders Tempelherr,
    Der Euch verklagt soll haben, allerdings. –
3375   Ihr wisst ja, was mich wurmisch[2] machte! was
    Mein Blut in allen Adern sieden machte!
    Ich Gauch[3]! – Ich kam, so ganz mit Leib und Seel'
    Euch in die Arme mich zu werfen. Wie
    Ihr mich empfingt – wie kalt – wie lau – denn lau
3380   Ist schlimmer noch als kalt; – wie abgemessen[4]

---

[1] Verfehlung, Fehler
[2] was mich wurmte
[3] alte Form für Kuckuck, hier: Dummkopf
[4] gezielt

Mir auszubeugen[1] Ihr beflissen wart;
Mit welchen aus der Luft gegriffnen Fragen
Ihr Antwort mir zu geben scheinen wolltet:
Das darf ich kaum mir itzt noch denken, wenn
3385 Ich soll gelassen bleiben. – Hört mich, Nathan! –
In dieser Gärung[2] schlich mir Daja nach
Und warf mir ihr Geheimnis an den Kopf,
Das mir den Aufschluss Euers rätselhaften
Betragens zu enthalten schien.

NATHAN: Wie das?

3390 TEMPELHERR: Hört mich nur aus! – Ich bildete mir ein:
Ihr wolltet, was Ihr einmal nun den Christen
So abgejagt, an einen Christen wieder
Nicht gern verlieren. Und so fiel mir ein,
Euch kurz und gut das Messer an die Kehle
Zu setzen.

3395 NATHAN: Kurz und gut? Und gut? – Wo steckt
Das Gute?

TEMPELHERR: Hört mich, Nathan! – Allerdings:
Ich tat nicht recht! – Ihr seid wohl gar nicht schuldig. –
Die Närrin Daja weiß nicht, was sie spricht –
Ist Euch gehässig – sucht Euch nur damit
3400 In einen bösen Handel zu verwickeln –
Kann sein! kann sein! – Ich bin ein junger Laffe[3],
Der immer nur an beiden Enden schwärmt,
Bald viel zu viel, bald viel zu wenig tut –
Auch das kann sein! Verzeiht mir, Nathan.

NATHAN: Wenn
Ihr so mich freilich fasset –

3405 TEMPELHERR: Kurz, ich ging
Zum Patriarchen! – hab Euch aber nicht
Genannt. Das ist erlogen, wie gesagt!
Ich hab ihm bloß den Fall ganz allgemein
Erzählt, um seine Meinung zu vernehmen. –
3410 Auch das hätt unterbleiben können: ja doch! –
Denn kannt ich nicht den Patriarchen schon

---

[1] auszuweichen
[2] gereizte Stimmung
[3] eitler junger Mann, Tölpel

Als einen Schurken? Konnt ich Euch nicht selber
Nur gleich zur Rede stellen? – Musst ich der
Gefahr, so einen Vater zu verlieren,
3415 Das arme Mädchen opfern? – Nun, was tut's?
Die Schurkerei des Patriarchen, die
So ähnlich immer sich erhält, hat mich
Des nächsten Weges wieder zu mir selbst
Gebracht. – Denn hört mich, Nathan, hört mich aus! –
3420 Gesetzt, er wüsst auch Euern Namen: was
Nun mehr, was mehr? – Er kann Euch ja das Mädchen
Nur nehmen, wenn sie niemands ist als Euer.
Er kann sie doch aus E u e r m Hause nur
Ins Kloster schleppen. – Also – gebt sie mir!
3425 Gebt sie nur mir und lasst ihn kommen. Ha!
Er soll's wohl bleiben lassen, mir mein Weib
Zu nehmen. – Gebt sie mir, geschwind! – Sie sei
Nun Eure Tochter oder sei es nicht!
Sei Christin oder Jüdin oder keines!
3430 Gleichviel! gleichviel! Ich werd Euch weder itzt
Noch jemals sonst in meinem ganzen Leben
Darum befragen. Sei, wie's sei!

NATHAN: Ihr wähnt
Wohl gar, dass mir, die Wahrheit zu verbergen,
Sehr nötig?

TEMPELHERR: Sei, wie's sei!

NATHAN: Ich hab es ja
3435 Euch – oder wem es sonst zu wissen ziemt –
Noch nicht geleugnet, dass sie eine Christin
Und nichts als meine Pflegetochter ist. –
Warum ich's aber ihr noch nicht entdeckt[1]? –
Darüber brauch ich nur bei ihr mich zu
Entschuldigen.

3440 TEMPELHERR: Das sollt Ihr auch bei ihr
Nicht brauchen. – Gönnt's ihr doch, dass sie Euch nie
Mit andern Augen darf betrachten! Spart
Ihr die Entdeckung doch! – Noch habt Ihr ja,
Ihr ganz allein, mit ihr zu schalten. Gebt
3445 Sie mir! Ich bitt Euch, Nathan, gebt sie mir!

---

[1] mitgeteilt, aufgedeckt habe

Ich bin's allein, der sie zum zweiten Male
Euch retten kann – und will.

NATHAN: Ja – konnte! konnte!
Nun auch nicht mehr. Es ist damit zu spät.

TEMPELHERR: Wieso? zu spät?

NATHAN: Dank sei dem Patriarchen ...

3450 TEMPELHERR: Dem Patriarchen? Dank? Ihm Dank? Wofür?
Dank hätte d e r bei uns verdienen wollen?
Wofür? Wofür?

NATHAN: Dass wir nun wissen, wem
Sie anverwandt[1], nun wissen, wessen Händen
Sie sicher ausgeliefert werden kann.

TEMPELHERR: Das dank ihm – wer für mehr ihm danken

3455   wird![2]

NATHAN: Aus diesen müsst Ihr sie nun auch erhalten
Und nicht aus meinen.

TEMPELHERR: Arme Recha! Was
Dir alles zustößt, arme Recha! Was
Ein Glück für andre Waisen wäre, wird

3460 Dein Unglück! – Nathan! – Und wo sind sie, diese
Verwandte?

NATHAN: Wo sie sind?

TEMPELHERR: Und wer sie sind?

NATHAN: Besonders hat ein Bruder sich gefunden,
Bei dem Ihr um sie werben müsst.

TEMPELHERR: Ein Bruder?
Was ist er, dieser Bruder? Ein Soldat?

3465 Ein Geistlicher? – Lasst hören, was ich mir
Versprechen darf.

NATHAN: Ich glaube, dass es keines
Von beiden – oder beides ist. Ich kenn
Ihn noch nicht recht.

TEMPELHERR: Und sonst?

NATHAN: Ein braver Mann!
Bei dem sich Recha gar nicht übel wird
Befinden.

3470 TEMPELHERR: Doch ein Christ! – Ich weiß zuzeiten

---

[1] mit wem sie verwandt ist
[2] gemeint ist der Teufel

Auch gar nicht, was ich von Euch denken soll: –
Nehmt mir's nicht ungut, Nathan! – Wird sie nicht
Die Christin spielen müssen unter Christen?
Und wird sie, was sie lange g'nug gespielt,
75 Nicht endlich werden? Wird den lautern Weizen,
Den Ihr gesät, das Unkraut endlich nicht
Ersticken? – Und das kümmert Euch so wenig?
Dem ungeachtet könnt Ihr sagen – Ihr? –
Dass sie bei ihrem Bruder sich nicht übel
Befinden werde?

80 NATHAN: Denk ich! hoff ich! – Wenn
Ihr ja bei ihm was mangeln sollte, hat
Sie Euch und mich denn nicht noch immer? –

TEMPELHERR: Oh!
Was wird bei ihm ihr mangeln können! Wird
Das Brüderchen mit Essen und mit Kleidung
85 Mit Naschwerk und mit Putz[1] das Schwesterchen
Nicht reichlich g'nug versorgen? Und was braucht
Ein Schwesterchen denn mehr? – Ei freilich: auch
Noch einen Mann! – Nun, nun: auch den, auch den
Wird ihr das Brüderchen zu seiner Zeit
90 Schon schaffen, wie er immer nur zu finden!
Der Christlichste, der Beste! – Nathan, Nathan!
Welch einen Engel hattet Ihr gebildet,
Den Euch nun andre so verhunzen[2] werden!

NATHAN: Hat keine Not! Er wird sich unsrer Liebe
Noch immer wert genug behaupten.

95 TEMPELHERR: Sagt
Das nicht! Von m e i n e r Liebe sagt das nicht!
Denn die lässt nichts sich unterschlagen, nichts.
Es sei auch noch so klein! Auch keinen Namen![3] –
Doch halt! – Argwohnt sie wohl bereits, was mit
Ihr vorgeht?

100 NATHAN: Möglich; ob ich schon nicht wüsste,
Woher?

---

[1] Schmuck
[2] wie ein Hund behandeln, verderben
[3] Nicht einmal den Namen Rechas möchte der Tempelherr geändert
sehn.

TEMPELHERR: Auch eben viel[1]; sie soll – sie muss
In beiden Fällen, was ihr Schicksal droht,
Von mir zuerst erfahren. Mein Gedanke,
Sie eher wieder nicht zu sehn, zu sprechen,
3505 Als bis ich sie die Meine nennen dürfe,
Fällt weg. Ich eile ...

NATHAN: Bleibt! Wohin?

TEMPELHERR: Zu ihr!
Zu sehn, ob diese Mädchenseele Manns genug
Wohl ist, den einzigen Entschluss zu fassen,
Der ihrer würdig wäre!

NATHAN: W e l c h e n ?

TEMPELHERR: Den:
3510 Nach Euch und ihrem Bruder weiter nicht
Zu fragen –

NATHAN: Und?

TEMPELHERR: Und mir zu folgen: – wenn
Sie drüber eines Muselmannes Frau
Auch werden müsste.

NATHAN: Bleibt! Ihr trefft sie nicht;
Sie ist bei Sittah, bei des Sultans Schwester.

TEMPELHERR: Seit wenn[2]? Warum?

3515 NATHAN: Und wollt Ihr da bei ihnen
Zugleich den Bruder finden: kommt nur mit.

TEMPELHERR: Den Bruder? welchen? Sittahs oder Rechas?

NATHAN: Leicht beide. Kommt nur mit! Ich bitt' Euch,
                                                  kommt!

(Er führt ihn fort)

Sechster Auftritt

Szene: in Sittahs Harem.

Sittah und Recha in Unterhaltung begriffen

SITTAH: Was freu ich mich nicht deiner, süßes Mädchen! –
3520 Sei so beklemmt nur nicht! so angst[3]! so schüchtern! –

---

[1] egal, gleichviel
[2] wann
[3] ängstlich

Sei munter! sei gesprächiger! vertrauter!

RECHA: Prinzessin ...

SITTAH: Nicht doch! Nicht Prinzessin! Nenn
Mich Sittah, – deine Freundin, – deine Schwester.
Nenn mich dein Mütterchen! – Ich könnte das

25 Ja schier auch sein. – So jung! so klug! so fromm!
Was du nicht alles weißt, nicht alles musst
Gelesen haben!

RECHA: Ich gelesen? – Sittah,
Du spottest deiner kleinen albern Schwester.
Ich kann kaum lesen.

SITTAH: Kannst kaum, Lügnerin!

30 RECHA: Ein wenig meines Vaters Hand[1]! – Ich meinte,
Du sprächst von Büchern.

SITTAH: Allerdings! Von Büchern.

RECHA: Nun, Bücher wird mir wahrlich schwer zu lesen! –

SITTAH: Im Ernst?

RECHA: Im ganzen Ernst. Mein Vater liebt
Die kalte Buchgelehrsamkeit, die sich

35 Mit toten Zeichen ins Gehirn nur drückt,
Zu wenig.

SITTAH: Ei, was sagst du! – Hat indes
Wohl nicht sehr Unrecht! – Und so manches, was
Du weißt? ...

RECHA: Weiß ich allein aus seinem Munde.
Und könnte bei dem meisten dir noch sagen,
Wie? wo? warum? er mich's gelehrt.

40 SITTAH: So hängt
Sich freilich alles besser an. So lernt
Mit eins die ganze Seele.

RECHA: Sicher hat
Auch Sittah wenig oder nichts gelesen!

SITTAH: Wieso? – Ich bin nicht stolz aufs Gegenteil. –

45 Allein wieso? Dein Grund! Sprich dreist! Dein Grund?

RECHA: Sie ist so schlecht[2] und recht, so unverkünstelt,
So ganz sich selbst nur ähnlich ...

SITTAH: Nun?

---

[1] Handschrift
[2] schlicht

RECHA: Das sollen
   Die Bücher uns nur selten lassen, sagt
   Mein Vater.
SITTAH: O, was ist dein Vater für
   Ein Mann!
RECHA: Nicht wahr?
3550 SITTAH: Wie nah er immer doch
   Zum Ziele trifft!
RECHA: Nicht wahr? – Und diesen Vater –
SITTAH: Was ist dir, Liebe?
RECHA: Diesen Vater –
SITTAH: Gott!
   Du weinst?
RECHA: Und diesen Vater – Ah! es muss
   Heraus! Mein Herz will Luft, will Luft ...
   (Wirft sich, von Tränen überwältiget, zu ihren Füßen)
SITTAH: Kind, was
   Geschieht dir? Recha?
3555 RECHA: Diesen Vater soll –
   Soll ich verlieren!
SITTAH: Du? verlieren? ihn?
   Wie das? – Sei ruhig! – Nimmermehr! – Steh auf!
RECHA: Du sollst vergebens dich zu meiner Freundin,
   Zu meiner Schwester nicht erboten haben!
3560 SITTAH: Ich bin's ja! bin's – Steh doch nur auf! Ich muss
   Sonst Hilfe rufen.
RECHA: (die sich ermannt und aufsteht)
                     Ah! verzeih! vergib! –
   Mein Schmerz hat mich vergessen machen, wer
   Du bist. Vor Sittah gilt kein Winseln, kein
   Verzweifeln. Kalte, ruhige Vernunft
3565 Will alles über sie allein vermögen.
   Wes Sache diese bei ihr führt, der siegt!
SITTAH: Nun dann?
RECHA: Nein, meine Freundin, meine Schwester
   Gibt das nicht zu! Gibt nimmer zu, dass mir
   Ein andrer Vater aufgedrungen werde!
3570 SITTAH: Ein andrer Vater? aufgedrungen? dir?
   Wer kann das, kann das auch nur wollen, Liebe?
RECHA: Wer? Meine gute böse Daja kann

Das wollen – will das können. – Ja, du kennst
Wohl diese gute böse Daja nicht?
75 Nun, Gott vergeb es ihr! – belohn es ihr!
Sie hat mir so viel Gutes, – so viel Böses
Erwiesen!
SITTAH: Böses dir? – So muss sie Gutes
Doch wahrlich wenig haben.
RECHA: Doch! recht viel,
Recht viel!
SITTAH: Wer ist sie?
RECHA: Eine Christin, die
80 In meiner Kindheit mich gepflegt, mich so
Gepflegt! – Du glaubst nicht! – Die mir eine Mutter
So wenig missen lassen! – Gott vergelt
Es ihr! – Die aber mich auch so geängstet!
Mich so gequält!
SITTAH: Und über was? warum?
Wie?
85 RECHA: Ach! die arme Frau – ich sag dir's ja –
Ist eine Christin – muss aus Liebe quälen. –
Ist eine von den Schwärmerinnen[1], die
Den allgemeinen, einzig wahren Weg
Nach Gott zu wissen wähnen!
SITTAH: Nun versteh ich!
90 RECHA: Und sich gedrungen fühlen, einen jeden,
Der dieses Wegs verfehlt, darauf zu lenken. –
Kaum können sie auch anders. Denn ist's wahr,
Dass dieser Weg allein nur richtig führt:
Wie sollen sie gelassen ihre Freunde
95 Auf einem andern wandeln sehn – der ins
Verderben stürzt, ins ewige Verderben?
Es müsste möglich sein, denselben Menschen
Zur selben Zeit zu lieben und zu hassen. –
Auch ist's das nicht, was endlich laute Klagen
100 Mich über sie zu führen zwingt. Ihr Seufzen,
Ihr Warnen, ihr Gebet, ihr Drohen hätt
Ich gern noch länger ausgehalten, gern!
Es brachte mich doch immer auf Gedanken,

---

[1] hier: Fanatikerin

Die gut und nützlich. Und wem schmeichelt's doch
3605 Im Grunde nicht, sich gar so wert und teuer,
Von wem's auch sei, gehalten fühlen, dass
Er den Gedanken nicht ertragen kann,
Er müss einmal auf ewig uns entbehren!

SITTAH: Sehr wahr!

RECHA: Allein – allein – das geht zu weit!
3610 Dem kann ich nichts entgegensetzen, nicht
Geduld, nicht Überlegung! nichts!

SITTAH: Was? Wem?

RECHA: Was sie mir eben itzt entdecken will haben.

SITTAH: Entdeckt? und eben itzt?

RECHA: Nur eben itzt!
Wir nahten auf dem Weg hierher uns einem
3615 Verfallnen Christentempel. Plötzlich stand
Sie still, schien mit sich selbst zu kämpfen, blickte
Mit nassen Augen bald gen Himmel, bald
Auf mich. Komm, sprach sie endlich, lass uns hier
Durch diesen Tempel in die Richte[1] gehn!
3620 Sie geht; ich folg ihr, und mein Auge schweift
Mit Graus die wankenden Ruinen durch.
Nun steht sie wieder, und ich sehe mich
An den versunknen Stufen eines morschen
Altars mit ihr. Wie ward mir, als sie da
3625 Mit heißen Tränen, mit gerungnen Händen
Zu meinen Füßen stürzte ...

SITTAH: Gutes Kind!

RECHA: Und bei der Göttlichen[2], die da wohl sonst
So manch Gebet erhört, so manches Wunder
Verrichtet habe, mich beschwor – mit Blicken
3630 Des wahren Mitleids mich beschwor, mich meiner
Doch zu erbarmen! – Wenigstens, ihr zu
Vergeben, wenn sie mir entdecken müsse,
Was ihre Kirch auf mich für Anspruch habe.

SITTAH: (Unglückliche! – Es ahnte mir!)

RECHA: Ich sei
3635 Aus christlichem Geblüte, sei getauft,

---

[1] den direkten Weg nehmen, quer hindurch gehen
[2] Gottesmutter

Sei Nathans Tochter nicht, er nicht mein Vater! –
Gott! Gott! Er nicht mein Vater! – Sittah! Sittah!
Sieh mich aufs Neu zu deinen Füßen ...

SITTAH: Recha!
Nicht doch! steh auf! – Mein Bruder kömmt! Steh auf!

Siebenter Auftritt

Saladin und die Vorigen

SALADIN: Was gibt's hier, Sittah?

540 SITTAH: Sie ist von sich[1]! Gott!

SALADIN: Wer ist's?

SITTAH: Du weißt ja ...

SALADIN: Unsers Nathans Tochter?
Was fehlt ihr?

SITTAH: Komm doch zu dir, Kind! – Der Sultan ...

RECHA: (*die sich auf den Knieen zu Saladins Füßen
    schleppt, den Kopf zur Erde gesenkt*)
Ich steh nicht auf! nicht eher auf! – mag eher
Des Sultans Antlitz nicht erblicken! – eher

545 Den Abglanz ewiger Gerechtigkeit
Und Güte nicht in seinen Augen, nicht
Auf seiner Stirn bewundern ...

SALADIN: Steh ... steh auf!

RECHA: Eh er mir nicht verspricht ...

SALADIN: Komm! Ich verspreche ...
Sei, was es will!

RECHA: Nicht mehr, nicht weniger,

650 Als meinen Vater mir zu lassen und
Mich ihm! – Noch weiß ich nicht, wer sonst mein Vater
Zu sein verlangt, – verlangen kann. Will's auch
Nicht wissen. Aber macht denn nur das Blut
Den Vater? Nur das Blut?

SALADIN: (*der sie aufhebt*)   Ich merke wohl! –

655 Wer war so grausam denn, dir selbst – dir selbst
Dergleichen in den Kopf zu setzen? Ist
Es denn schon völlig ausgemacht, erwiesen?

---

[1] außer sich

RECHA: Muss wohl! Denn Daja will von meiner Amm'
    Es haben.
SALADIN: Deiner Amme!
RECHA: Die es sterbend
3660   Ihr zu vertrauen sich verbunden fühlte.
SALADIN: Gar sterbend? – Nicht auch faselnd[1] schon? –
                               Und wär's
    Auch wahr! – Jawohl: das Blut, das Blut allein
    Macht lange noch den Vater nicht! macht kaum
    Den Vater eines Tieres! gibt zum höchsten
3665   Das erste Recht, sich diesen Namen zu
    Erwerben! – Lass dir doch nicht bange sein! –
    Und weißt du was? – Sobald der Väter zwei
    Sich um dich streiten: – lass sie beide, nimm
    Den dritten! – Nimm dann mich zu deinem Vater!
SITTAH: O tu's! o tu's!
3670 SALADIN: Ich will ein guter Vater,
    Recht guter Vater sein! – Doch halt! mir fällt
    Noch viel was Bessers bei. – Was brauchst du denn
    Der Väter überhaupt? Wenn sie nun sterben?
    Beizeiten sich nach einem umgesehn,
3675   Der mit uns um die Wette leben will!
    Kennst du noch keinen? ...
SITTAH: Mach sie nicht erröten!
SALADIN: Das hab ich allerdings mir vorgesetzt[2].
    Erröten macht die Hässlichen so schön:
    Und sollte Schöne nicht noch schöner machen? –
3680   Ich habe deinen Vater Nathan und
    Noch einen – einen noch hierher bestellt.
    Errätst du ihn? – Hierher! Du wirst mir doch
    Erlauben, Sittah?
SITTAH: Bruder!
SALADIN: Dass du ja
    Vor ihm recht sehr errötest, liebes Mädchen!
RECHA: Vor wem? erröten? ...
3685 SALADIN: Kleine Heuchlerin!
    Nun, so erblasse lieber! – Wie du willst

---

[1] verwirrt redend
[2] vorgenommen

Und kannst! –
(Eine Sklavin tritt herein und nahet sich Sittah)
        Sie sind doch etwa nicht schon da?
SITTAH: *(zur Sklavin)* Gut! Lass sie nur herein. – Sie sind es,
                                        Bruder!

Letzter Auftritt

Nathan und der Tempelherr zu den Vorigen

SALADIN: Ah, meine guten, lieben Freunde! – Dich,
590   Dich, Nathan, muss ich nur vor allen Dingen
     Bedeuten[1], dass du nun, sobald du willst,
     Dein Geld kannst wiederholen lassen! ...
NATHAN: Sultan! ...
SALADIN: Nun steh ich auch zu deinen Diensten ...
NATHAN: Sultan!
SALADIN: Die Karawan ist da. Ich bin so reich
695   Nun wieder, als ich lange nicht gewesen. –
     Komm, sag mir, was du brauchst, so recht was Großes
     Zu unternehmen! Denn auch ihr, auch ihr,
     Ihr Handelsleute, könnt des baren Geldes
     Zu viel nie haben!
NATHAN: Und warum zuerst
700   Von dieser Kleinigkeit? – Ich sehe dort
     Ein Aug in Tränen, das zu trocknen, mir
     Weit angelegner ist. *(Geht auf Recha zu)* Du hast
                                 geweint?
     Was fehlt dir? – bist doch meine Tochter noch?
RECHA: Mein Vater! ...
NATHAN: Wir verstehen uns. Genug! –
705   Sei heiter! Sei gefasst! Wenn sonst dein Herz
     Nur dein noch ist! Wenn deinem Herzen sonst
     Nur kein Verlust nicht droht! – Dein Vater ist
     Dir unverloren!
RECHA: Keiner, keiner sonst!
TEMPELHERR: Sonst keiner? – Nun! so hab' ich mich
                               betrogen.

---

[1] mitteilen, ankündigen

3710
Was man nicht zu verlieren fürchtet, hat
Man zu besitzen nie geglaubt und nie
Gewünscht. – Recht wohl! recht wohl! Das ändert,
                                        Nathan,
Das ändert alles! – Saladin, wir kamen
Auf dein Geheiß. Allein, ich hatte dich
3715
Verleitet: itzt bemüh dich nur nicht weiter!

SALADIN: Wie gach[1] nun wieder, junger Mann! – Soll alles
Dir denn entgegenkommen, alles dich
Erraten?

TEMPELHERR: Nun, du hörst ja! siehst ja, Sultan!

SALADIN: Ei wahrlich! – Schlimm genug, dass deiner Sache
Du nicht gewisser warst!

3720 TEMPELHERR: So bin ich's nun.

SALADIN: Wer so auf irgendeine Wohltat trotzt,
Nimmt sie zurück. Was du gerettet, ist
Deswegen nicht dein Eigentum. Sonst wär
Der Räuber, den sein Geiz ins Feuer jagt,
So gut ein Held wie du!
(*Auf Recha zugehend, um sie dem Tempelherrn
zuzuführen*)
3725
                         Komm, liebes Mädchen,
Komm! Nimm's mit ihm nicht so genau; denn wär
Er anders, wär er minder[2] warm und stolz:
Er hätt es bleiben lassen, dich zu retten.
Du musst ihm eins fürs andre rechnen. – Komm!
3730
Beschäm ihn! Tu, was ihm zu tun geziemte!
Bekenn ihm deine Liebe! trage dich ihm an!
Und wenn er dich verschmäht, dir's je vergisst,
Wie ungleich mehr in diesem Schritte du
Für ihn getan als er für dich ... Was hat
3735
Er denn für dich getan? – Ein wenig sich
Beräuchern lassen! – ist was Rechts! – so hat
Er meines Bruders, meines Assad, nichts!
So trägt er eine Larve[3], nicht sein Herz.
Komm, Liebe ...

---

[1] übereilt, jäh
[2] weniger
[3] äußere Hülle, Maske

SITTAH: Geh! geh, Liebe, geh! Es ist
40   Für deine Dankbarkeit noch immer wenig,
       Noch immer nichts.
NATHAN: Halt, Saladin! halt, Sittah!
SALADIN: Auch du?
NATHAN: Hier hat noch einer mitzusprechen ...
SALADIN: Wer leugnet das? – Unstreitig, Nathan, kömmt
       So einem Pflegevater eine Stimme
45   Mit zu! Die erste, wenn du willst. – Du hörst,
       Ich weiß der Sache ganze Lage.
NATHAN: Nicht so ganz! –
       Ich rede nicht von mir. Es ist ein andrer,
       Weit, weit ein andrer, den ich, Saladin,
       Doch auch vorher zu hören bitte.
SALADIN: Wer?
NATHAN: Ihr Bruder!
SALADIN: Rechas Bruder?
NATHAN: Ja!
50 RECHA: Mein Bruder?
       So hab' ich einen Bruder?
TEMPELHERR: *(aus seiner wilden, stummen Zerstreuung*
       auffahrend)
                          Wo? wo ist
       Er, dieser Bruder? Noch nicht hier? Ich sollt
       Ihn hier ja treffen.
NATHAN: Nur Geduld!
TEMPELHERR: *(äußerst bitter)* Er hat
       Ihr einen Vater aufgebunden: – wird
       Er keinen Bruder für sie finden?
55 SALADIN: Das
       Hat noch gefehlt! Christ! Ein so niedriger
       Verdacht wär über Assads Lippen nicht
       Gekommen. – Gut! fahr nur so fort!
NATHAN: Verzeih
       Ihm! – Ich verzeih ihm gern. – Wer weiß, was wir
60   An seiner Stell, in seinem Alter dächten!
       (Freundschaftlich auf ihn zugehend)
       Natürlich, Ritter! – Argwohn folgt auf Misstrau'n! –
       Wenn Ihr mich Euers w a h r e n Namens gleich
       Gewürdigt hättet ...

TEMPELHERR: Wie?

NATHAN: Ihr seid kein Stauffen!

TEMPELHERR: Wer bin ich denn?

NATHAN: Heißt Curd von Stauffen nicht!

TEMPELHERR: Wie heiß ich denn?

NATHAN: Heißt Leu von Filnek.

3765 TEMPELHERR: Wie?

NATHAN: Ihr stutzt?

TEMPELHERR: Mit Recht! Wer sagt das?

NATHAN: Ich, der mehr,
    Noch mehr Euch sagen kann. Ich straf indes
    Euch keiner Lüge.

TEMPELHERR: Nicht?

NATHAN: Kann doch wohl sein,
    Dass jener Nam Euch ebenfalls gebührt.

3770 TEMPELHERR: Das sollt ich meinen! – (Das hieß Gott ihn
                                sprechen[1]!)

NATHAN: Denn Eure Mutter – die war eine Stauffin.
    Ihr Bruder, Euer Ohm[2], der Euch erzogen,
    Dem Eure Eltern Euch in Deutschland ließen,
    Als, von dem rauen Himmel dort vertrieben,

3775   Sie wieder hier zu Lande kamen: – Der
    Hieß Curd von Stauffen, mag an Kindesstatt
    Vielleicht Euch angenommen haben! – Seid
    Ihr lange schon mit ihm nun auch herüber-
    Gekommen? Und er lebt doch noch?

TEMPELHERR: Was soll

3780   Ich sagen? – Nathan! – Allerdings! So ist's!
    Er selbst ist tot. Ich kam erst mit der letzten
    Verstärkung unsers Ordens. – Aber, aber –
    Was hat mit diesem allen Rechas Bruder
    Zu schaffen?

NATHAN: Euer Vater ...

TEMPELHERR: Wie? auch den
    Habt Ihr gekannt? Auch den?

---

[1] Das ließ Gott ihn sprechen; bildhaft für: Das war eine kluge Antwort. Gegen die Unterstellung einer Lüge hätte sich der Kreuzrit-
  ter mit dem Schwert wehren müssen.

[2] Onkel

85 NATHAN: Er war mein Freund.

TEMPELHERR: War Euer Freund? Ist's möglich, Nathan! ...

NATHAN: Nannte

Sich Wolf von Filnek: aber war kein Deutscher ...

TEMPELHERR: Ihr wisst auch das?

NATHAN: War einer Deutschen nur

Vermählt, war Eurer Mutter nur nach Deutschland

Auf kurze Zeit gefolgt ...

90 TEMPELHERR: Nicht mehr! Ich bitt

Euch! – Aber Rechas Bruder? Rechas Bruder ...

NATHAN: Seid Ihr!

TEMPELHERR: Ich? Ich ihr Bruder?

RECHA: Er mein Bruder?

SITTAH: Geschwister!

SALADIN: Sie Geschwister!

RECHA: (*will auf ihn zu*)   Ah! mein Bruder!

TEMPELHERR: (*tritt zurück*)   Ihr Bruder!

RECHA: (*hält an und wendet sich zu Nathan*)

                        Kann nicht sein! nicht sein! Sein Herz

95 Weiß nichts davon! – Wir sind Betrüger! Gott!

SALADIN: (*zum Tempelherrn*)

Betrüger? wie? Das denkst du, kannst du denken?

Betrüger selbst! Denn alles ist erlogen

An dir: Gesicht und Stimm und Gang! Nichts dein!

So eine Schwester nicht erkennen wollen! Geh!

TEMPELHERR: (*sich demütig ihm nahend*)

00 Missdeut auch du nicht mein Erstaunen, Sultan!

Verkenn in einem Augenblick, in dem

Du schwerlich deinen Assad je gesehen,

Nicht ihn und mich!

(*Auf Nathan zueilend*)

                        Ihr nehmt und gebt mir, Nathan!

Mit vollen Händen beides! – Nein! Ihr gebt

05 Mir mehr, als Ihr mir nehmt! unendlich mehr!

(*Recha um den Hals fallend*)

Ah, meine Schwester! meine Schwester!

NATHAN: Blanda

Von Filnek!

TEMPELHERR: Blanda? Blanda? – Recha nicht?

Nicht Eure Recha mehr? – Gott! Ihr verstoßt

Sie! gebt ihr ihren Christennamen wieder!
3810 Verstoßt sie meinetwegen! – Nathan! Nathan!
Warum es sie entgelten lassen? sie!

NATHAN: Und was? – O meine Kinder! meine Kinder! –
Denn meiner Tochter Bruder wär mein Kind
Nicht auch, – sobald er will?
(Indem er sich ihren Umarmungen überlässt, tritt Sala-
din mit unruhigem Erstaunen zu seiner Schwester)

SALADIN: Was sagst du, Schwester?

SITTAH: Ich bin gerührt ...

3815 SALADIN: Und ich, – ich schaudere
Vor einer größern Rührung fast zurück!
Bereite dich nur drauf, so gut du kannst!

SITTAH: Wie?

SALADIN: Nathan, auf ein Wort! ein Wort! –
(Indem Nathan zu ihm tritt, tritt Sittah zu dem
Geschwister, ihm ihre Teilnahme zu bezeigen, und Nat-
han und Saladin sprechen leiser)
Hör, hör doch, Nathan! Sagtest du vorhin
Nicht –?

NATHAN: Was?

3820 SALADIN: Aus Deutschland sei ihr Vater nicht
Gewesen, ein geborner Deutscher nicht.
Was war er denn? wo war er sonst denn her?

NATHAN: Das hat er selbst mir nie vertrauen wollen.
Aus seinem Munde weiß ich nichts davon.

3825 SALADIN: Und war auch sonst kein Frank? kein Abendlän-
                                                                          der?

NATHAN: O! dass er der nicht sei, gestand er wohl. –
Er sprach am liebsten Persisch ...

SALADIN: Persisch? Persisch?
Was will ich mehr? – Er ist's! Er war es!

NATHAN: Wer?

SALADIN: Mein Bruder! ganz gewiss! Mein Assad! ganz
Gewiss!

3830 NATHAN: Nun, wenn du selbst darauf verfällst: –
Nimm die Versichrung hier in diesem Buche!
(Ihm das Brevier überreichend)

SALADIN: *(es begierig aufschlagend)*
Ah! seine Hand! Auch die erkenn ich wieder!

NATHAN: Noch wissen sie von nichts! Noch steht's bei dir
   Allein, was sie davon erfahren sollen!
SALADIN: *(indes er darin geblättert)*
335   Ich meines Bruders Kinder nicht erkennen[1]?
   Ich meine Neffen – meine Kinder nicht?
   Sie nicht erkennen? ich? Sie dir wohl lassen?
   (Wieder laut)
   Sie sind's! sie sind es, Sittah, sind's! Sie sind's!
   Sind beide meines ... deines Bruders Kinder!
   (Er rennt in ihre Umarmungen)
SITTAH: *(ihm folgend)*
340   Was hör ich! – Konnt's auch anders, anders sein! –
SALADIN: *(zum Tempelherrn)*
   Nun musst du doch wohl, Trotzkopf, musst mich lieben!
   (Zu Recha)
   Nun bin ich doch, wozu ich mich erbot?
   Magst wollen oder nicht!
SITTAH: Ich auch! ich auch!
SALADIN: *(zum Tempelherrn zurück)*
   Mein Sohn! mein Assad! meines Assads Sohn!
345 TEMPELHERR: Ich deines Bluts! – So waren jene Träume,
   Womit man meine Kindheit wiegte, doch –
   Doch mehr als Träume! *(Ihm zu Füßen fallend)*
SALADIN: *(ihn aufhebend)* Seht den Bösewicht!
   Er wusste was davon und konnte mich
   Zu seinem Mörder machen wollen! Wart!
   (Unter stummer Wiederholung allseitiger Umarmungen fällt der Vorhang)

---

[1] anerkennen

Anhang

I. Zeitgeschichtlicher Hintergrund

Das 18. Jahrhundert – Was ist politisch und gesellschaftlich neu?

Zu Recht ist das 18. Jahrhundert von den Zeitgenossen und später von Historikern als eine Epochenwende und als Beginn der modernen Zeit empfunden worden. Das Deutsche Reich war seit dem Dreißigjährigen Krieg in eine Viel-
5 zahl von kleinen und kleinsten Territorien zersplittert und ähnelte mehr einem „Monstrum" als einem modernen Staat. Neben über 300 souveränen Territorien gab es eine Fülle von halbautonomen Gebieten und Städten, die eine kaum zu entwirrende Parzellierung des Reichsgebietes be-
10 wirkt hatten. Die Reichsgewalt des Heiligen Römischen Reiches Deutscher Nation – so der offizielle Titel – lag zwar bis zum Jahre 1806 beim Deutschen Kaiser, sie war aber nur auf ganz wenige Rechte beschränkt und hatte eine mehr symbolische Bedeutung. Die wichtigen politischen
15 Entscheidungen lagen bei den Territorialstaaten, die ihre Gesetzgebung, Gerichtsbarkeit, Landesverteidigung, Polizeigewalt (einschließlich der Zensur) etc. unabhängig von der Reichsgewalt ausübten.
[...]
20 Die unzähligen Miniaturpotentaten konnten ihre aufwendige Hofhaltung nur durch die rückhaltlose Auspressung ihrer Untertanen aufrechterhalten. Tatsächlich waren die Lebensbedingungen der Bevölkerung mehr als dürftig. Bedrückt von feudalen Lasten und fürstlicher Willkür hat-
25 ten die Bauern, die zum großen Teil noch Leibeigene ihres jeweiligen Herrn waren, kaum mehr als das Lebensnotwendige, oft sogar, wenn Missernten dazukamen, noch weniger. Es ist ein düsteres Bild, das man vom 18. Jahrhundert gewinnt, wenn man sich die Lebensbedingungen der Unter-
30 schichten, die immerhin über zwei Drittel der Gesamtbevölkerung ausmachten, ansieht. Auch in den großen Staaten wie Preußen oder Sachsen sah es nicht viel besser aus.

[...]

Woher nehmen die Historiker die Rechtfertigung, dennoch vom Anbruch der modernen Zeit zu sprechen? Wenn man die Lage der Unterschichten isoliert von der gesamtgesellschaftlichen Entwicklung betrachtet, übersieht man leicht, dass sich im Schoß jener feudalen Gesellschaft neue ökonomische Kräfte regten und sich eine neue soziale Klasse herausbildete, die die Moderne prägen sollte: der Industriekapitalismus und das Handel treibende und Kapital besitzende Bürgertum. Vor allem in den Städten entwickelte sich ein Bürgertum, das durch Handel, Bankgewerbe und Manufakturwesen zu Geld und sozialem Prestige gelangte. Zwar war dieses Bürgertum noch schwach und zahlenmäßig klein, aber es machte doch deutlich, dass der Feudalismus historisch überfällig war. Die Kräfteverschiebungen im Verhältnis der einzelnen Stände zueinander brachten Spannungen in die seit dem Mittelalter hierarchisch gegliederte Ständepyramide, die zur Auflösung der Ständegesellschaft und zur Herausbildung der bürgerlich-egalitären Gesellschaft führen sollte. Im 18. Jahrhundert zeigten sich diese Spannungen vor allem als Konfrontation zwischen Adel und Bürgertum. Die Bürger waren nicht länger gewillt, die politische und kulturelle Vorherrschaft des Adels, der nur einen verschwindend kleinen Bruchteil der Gesamtbevölkerung ausmachte, als gottgegeben und unveränderlich hinzunehmen. Die Bürger meldeten ihren eigenen Souveränitätsanspruch an.

Aus: Deutsche Literaturgeschichte. Von den Anfängen bis zur Gegenwart. J. B. Metzlersche Verlagsbuchhandlung, Stuttgart 1979, S. 108 – 109 (gekürzt)

Die Veränderung des literarischen Lebens

Die höfisch geprägte Literatur des 17. Jahrhunderts war durch Volksferne, Realitätsverlust, Künstlichkeit und Motivarmut gekennzeichnet. Als Hofdichtung war sie zu einem sterilen, funktionslosen Gebilde erstarrt und nicht fähig, die neuen Entwicklungen künstlerisch zu erfassen, geschweige denn ihnen Ausdruck zu geben. Die dramatischen „Haupt- und Staatsaktionen", die verwirrenden

Schäfer- und Heldenromane und die schwülstigen eroti-
schen Gedichte sprachen immer weniger Leser und Zuschauer an. Zudem fanden immer mehr Fürsten ihre Hof-
poeten entbehrlich. Der letzte preußische Hofdichter
5 wurde 1713 bei Regierungsantritt Friedrich Wilhelms I. im
Zuge von Sparmaßnahmen entlassen.
Die Ablösung von der höfischen Dichtung vollzog sich zuerst in den großen reichsunmittelbaren Handelsstädten, die
sich zu kulturellen Konkurrenten der Höfe entwickelten
10 und eine eigenständige Literaturgesellschaft ausbildeten. So
gab es in Leipzig schon sehr früh ein städtisches Theater, in
Hamburg sogar eine städtische Oper. An die Stelle des
fürstlichen Mäzenaten traten hier und da bürgerliche Geld-
geber, wie z. B. in Hamburg die Patriotische Gesellschaft,
15 die bei Autoren literarische Werke in Auftrag gab. Nicht
mehr das Lob des Fürsten und die Unterhaltung der höfischen Gesellschaft, sondern die Würdigung bürgerlichen
Lebens und die Aufklärung des bürgerlichen Lesers waren
Gegenstand und Ziel der neuen Dichtung. Dieser Adressa-
20 ten- und Funktionswandel der Dichtung vollzog sich unter
großen Schwierigkeiten, da es ein breites Lesepublikum zu
der Zeit noch gar nicht gab. Die große Masse der Bevölkerung konnte am Anfang des 18. Jahrhunderts weder lesen
noch schreiben und die wenigen Bürger, die alphabetisiert
25 waren, beschränkten ihre Lektüre auf die Bibel und religiöse Erbauungsschriften. Noch um 1770 machte der Kreis
derjenigen, die lesen konnten, höchstens 15 % der Gesamtbevölkerung aus und erreichte erst um 1800 etwa 25 %.
Der Kreis derjenigen, die sich für schöne Literatur interes-
30 sierten, war natürlich noch kleiner. So rechnete Jean Paul
Ende des Jahrhunderts mit einem Publikum von 300 000
Lesern und griff damit sicherlich zu hoch. Tatsächlich dürf-
ten nicht mehr als 1 % der Gesamtbevölkerung von 25 Mil-
lionen Einwohnern tatsächlich Leser schöner Literatur ge-
35 wesen sein. Ein breites Lesepublikum und eine interessierte
Öffentlichkeit mussten also erst geschaffen werden.
Entscheidend gefördert wurde die Entwicklung bürgerlicher Öffentlichkeit durch die Lesegemeinschaften, die viel-
fältig organisiert waren und sehr unterschiedliche Ziele
40 verfolgten.

Die Lesezirkel, die es seit dem Ende des 17. Jahrhunderts in Deutschland gab, dienten dem Ziel, die Lektüre von Zeitungen, Zeitschriften und Büchern billiger zu machen, während die Lesegesellschaften darüber hinaus sich als Kommunikationszentren verstanden, wo private Lektüre einen gesellschaftlichen Rang erhielt. Die große Zahl von Lesegemeinschaften – zwischen 1760 und 1800 wurden rund 430 Lesegemeinschaften gegründet – zeigt, wie groß das gesellschaftliche Bedürfnis nach Lektüre und Diskussion darüber war. Die meisten Lesegesellschaften fühlten sich der Aufklärung verpflichtet. Ihre aufklärerische Zielsetzung spiegelt sich sowohl in der Lektüreauswahl als auch in den Organisationsstatuten, die die Selbstverwaltung nach demokratischen Prinzipien regelte. Zutritt zu den Lesegesellschaften hatte prinzipiell jeder Mann von Bildung und Geschmack (Frauen und Studenten waren ausgenommen), doch wurde durch die hohen Mitgliedsbeiträge der Kreis auf wohlhabende Bürger und Adlige beschränkt. Kleinbürger und die Unterschichten blieben ausgeschlossen und waren – soweit sie lesen konnten – auf die Leihbibliotheken angewiesen, die es aber erst gegen Ende des 18. Jahrhunderts in relevanter Zahl gab. Diese Leihbibliotheken markieren zusammen mit den kommerziellen Bibliotheken, die ebenfalls erst gegen Ende des 18. Jahrhunderts gegründet wurden, einen vorläufigen Endpunkt der gesellschaftlichen Lektüre. Sie schließen die erste Entwicklungsphase bürgerlicher Öffentlichkeit ab und schaffen die Voraussetzungen für eine Reprivatisierung des Lesens.

Die Abkehr von der höfisch verankerten Dichtung bewirkte nicht nur einen Strukturwandel der Öffentlichkeit, sondern sie hatte Konsequenzen auch für die Situation des Schriftstellers. Das Zeitalter der besoldeten Hofdichter ging zu Ende, an ihre Stelle trat der freie Schriftsteller, der von seiner dichterischen Arbeit zu leben versuchte. Dem Vorteil der „freien" Schriftstellerexistenz: geistige Unabhängigkeit von fürstlichen und geistlichen Geldgebern, stand ein großer Nachteil gegenüber: die Unsicherheit des Einkommens.

Aus: Deutsche Literaturgeschichte. Von den Anfängen bis zur Gegenwart. J. B. Metzlersche Verlagsbuchhandlung, Stuttgart 1979, S. 109–110 (gekürzt)

Theo Herold, Hildegard Wittenberg
Die Situation des deutschen Theaters im
18. Jahrhundert

Mannheim war eines der deutschen *Hoftheater*, wie es sie
in vielen Fürstentümern gab. Neben dem französischen
Drama war vor allem die italienische Oper ein Lieblingskind
der Hofgesellschaft, stellte sie doch eine glanzvolle Reprä-
5 sentationsform höfischen Lebens dar. Selbst die Architektur
diente diesem Zweck mit ihrer Anordnung der Ränge und
Sitze[1], die je nach gesellschaftlicher Stellung am Hofe vergeben wurden. Wer nicht zum Adel oder zum Hofstaat
gehörte, hatte nur in Ausnahmefällen das Glück, eine
10 Opern- oder Theateraufführung bei Hofe mitzuerleben.
Getragen wurden Oper und Theater am Hof in der Regel
von fest engagierten französischen und italienischen
Schauspielergesellschaften. Ihre finanzielle Sicherheit stand
als verlockendes Ziel vor den deutschen Schauspielerge-
15 sellschaften.
Neben dem Hoftheater gab es in Deutschland das *Wan-*
dertheater. Der soziale Unterschied zwischen Wander- und
Hoftheater war vor allem durch das Publikum bestimmt.
In beiden Fällen handelte es sich um Berufsschauspieler.
20 Die einen traten jedoch vor dem ‚Pöbel' auf, die anderen
vor der höfischen Gesellschaft. Dieser Unterschied wirkte
sich auf das Sozialprestige der Schauspieler aus.
Immer wieder bemühten sich Schauspielergesellschaften
darum, ‚hoffähig' zu werden; denn das bedeutete zugleich
25 auch ihre finanzielle Sicherung. Aber Erfolg hatten die wenigsten. Die Schwierigkeiten dieser Gesellschaften, am
Hofe zu spielen, hingen damit zusammen, dass die italienische Oper und das französische Drama bevorzugt wurden. Gespielt wurde in französischer Sprache und nach
30 französischer Manier. Und die Schauspieler des Wandertheaters scheiterten oft an der Unkenntnis der fremden Sprache und des Darstellungsstils.
Die Wanderbühnen arbeiteten mit wenig Aufwand. Sie
spielten in Bretterbuden, Wirtshaussälen oder gar unter

---

[1] s. Abb. S. 155

freiem Himmel[1] und waren technisch nur mit dem Notwendigsten ausgerüstet, mussten ihre Kostüme selbst nähen, die Kulisse malen und die Textbücher herstellen. Nur die größten Schauspielergesellschaften wie die Neuber'sche, Schönemann'sche, Ackermann'sche erlangten überregionale Bedeutung.

Die Prinzipale[2], durchweg selbst Schauspieler, betrieben das Theater als Geschäft. Sie versuchten, so effektiv wie möglich das Unterhaltungsbedürfnis ihres Publikums zu befriedigen. Der Staat kontrollierte das Wandertheater lediglich hinsichtlich der Privilegien. Ein Privileg war nichts anderes als ein Gewerbeschein, der erlaubte, in einem bestimmten Gebiet zu spielen. Wer kein Privileg besaß, durfte nicht auftreten. Der Aufenthalt an einem Spielort richtete sich nach den Einnahmen. Gingen sie zurück, wurde der Ort gewechselt. Die durchschnittliche Größe einer Schauspielergesellschaft betrug zwischen 15 und 20 Mitgliedern. Nicht jeder Schauspieler war für alle Rollen verwendbar, sondern jeder Schauspieler beherrschte bestimmte Rollenfächer, die durch eine lange Bühnentradition typisiert waren. Dass auf der Bühne des Wandertheaters durchgängig Hochdeutsch gesprochen wurde, war bis in die zweite Hälfte des 18. Jahrhunderts nicht selbstverständlich. Dialekt war keineswegs verpönt.

Gottsched[3] machte sich schon in der ersten Hälfte des 18. Jahrhunderts daran, das nach seiner Vorstellung völlig chaotische und verwilderte Theater der Wanderbühne zu reformieren. Da er den Hauptgrund für das niedere Niveau der Schaubühne in der Trennung der Theater und Dichtung sah, forderte er von den Schauspielern „regelmäßige Schauspiele" – das waren Schauspiele, die den Regeln der Poetiken entsprachen. Dahinter stand kein theaterpraktisches, sondern ein pädagogisches, aufklärerisches Interesse.

Gottscheds Bemühungen um eine Reform des deutschsprachigen Theaters hatten sich auf den Spielplan konzentriert. Den Zusammenhang zwischen Spielplan und Orga-

---

[1] s. Abb. S. 154
[2] Leiter der Schauspielergesellschaften
[3] s. S. 156ff.

nisationsform hatte er noch nicht gesehen und deshalb hat er auch immer wieder Enttäuschungen erleben müssen. Die Einrichtung stehender Bühnen versprach eine bessere Lösung. Das Ziel eines solchen deutschen Nationalthea-
5 ters war nicht nur die Schaffung einer Alternative zu den Hoftheatern, sondern gerade die Aufhebung der sozialen Aufspaltung in Hof- und Wandertheater in einem nationalen Spielplan und in einer Bühne für alle Stände.

Aus: Theo Herold, Hildegard Wittenberg. Geschichte der deutschen Literatur. Aufklärung, Sturm und Drang. Klett Verlag, Stuttgart 1983, S. 13–15

Joseph Stephan: Wandertruppe auf dem Anger in München. Öl auf Leinwand, um 1770. Ausschnitt (Foto: Deutsches Theatermuseum, München)

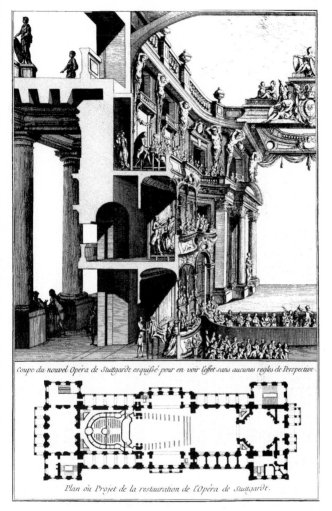

Coupe du nouvel Opéra de Stuttgardt esquissé pour en voir l'effet sans aucunes regles de Perspective

Plan ou Projet de la restauration de l'Opéra de Stuttgardt.

Das Innere des Stuttgarter Opernhauses zur Zeit Carl-Eugens. Stich von Bauchart (Foto: Württembergische Landesbibliothek, Stuttgart)

Johann Christoph Gottsched (1700 – 1766)

Geboren zu Juditten bei Königsberg, wurde er 1730 Dozent der Philosophie und Poesie an der Universität Leipzig

J. C. Gottsched. Zeitgenössischer Kupferstich (Foto: AKG, Berlin)

und 1734 dort Professor der Logik und Metaphysik. Als überzeugter Anhänger der Wolff'schen Aufklärungsphilosophie legte er in seinem *Versuch einer critischen Dichtkunst vor die Deutschen* (1730) im Anschluss an die *l'art poétique* (1674) des Franzosen Boileau die Grundsätze einer neuen 5 „vernünftigen" Dichtung nieder: ihre Aufgabe sei zu ergötzen und zu nützen, das heißt zu belehren, zu gutem Geschmack zu erziehen, tugendhafte Gesinnung zu vermitteln und die Natur zu beschreiben; ihre strenge Regelmäßigkeit dulde weder Fantasie noch überströmendes Gefühl, ihre 10 Regeln im Einzelnen (Einheit von Ort, Zeit und Handlung im Drama, Gebrauch des Alexandriners) seien aus dem Drama der französischen Klassik abzuleiten, das Gottsched als Vorbild betrachtete und durch Übersetzung und Nachahmung auf der deutschen Bühne heimisch machen wollte. 15 Unter den Vorbildern wurde besonders Opitz[1] hervorgehoben. Gottsched hat Regeln aufgestellt für die Pflege einer klaren deutschen Schriftsprache *(Deutsche Sprachkunst nach den Mustern der besten Schriftsteller, 1748)* sowie das Theater von Hanswurstiaden und blutrünstigen Schauerlichkei- 20 ten gesäubert und dadurch den Schauspielerstand gehoben. [...] Berufsschauspieler gab es seit dem Ende des 16. Jahrhunderts, als englische Schauspieltruppen nach Deutschland kamen und Shakespeares Dramen in grober, auf Sensation und Posse abgestellter Weise aufführten. Im 17. 25 Jahrhundert hatten sich deutsche Wandertruppen gebildet, die in den Vorstädten effektvoll-schauerliche „Staatsaktionen" darstellten; in unmanierlichen Zwischenspielen führte der Hanswurst oder Pickelhäring, der mit seinen Zoten und Späßen schallendes Gelächter auslöste, in den 30 Pausen das große Wort. Der Beruf des Schauspielers galt nicht als ehrbar. Gottsched beseitigte den rohen Ton auf der Bühne und damit das Vorurteil der Gebildeten gegen das Theater. Eine Puppe des Hanswurst wurde auf der Bühne öffentlich verbrannt. Durch ein literarisch gehobe- 35

---

[1] Martin Opitz (1597–1639) hatte eine Poetik mit dem Titel „Buch von der deutschen Poeterey" (erschienen 1624) verfasst. Die darin formulierten Regeln orientierten sich an der Poetik des Aristoteles und der antiken Dichtung.

nes Programm brachte Gottsched Drama und Theater
wieder zu Achtung und Anerkennung beim bildungseifri-
gen Bürgertum. Unterstützt wurde er hierbei von seiner
Frau Adelgunde, die Molière-Komödien übertrug, und
von der Schauspielerin Caroline Neuber, der Prinzipalin
5 einer Theatergruppe. In der Alexandrinertragödie *Der
sterbende Cato* (1731) gab er ein Beispiel seiner moralisie-
renden Dichtkunst.
Gottscheds literarische Diktatur dauerte bis 1740.

Aus: Willy Grabert, Arno Mulot, Helmuth Nürnberger: Geschichte der deutschen
Literatur. Bayerischer Schulbuch-Verlag, München 1979, 20. Auflage, S. 85 – 86

Gotthold Ephraim Lessing
Briefe die Neueste Litteratur betreffend.
17. Brief (1759)

Lessing kommentierte in den Jahren 1759 – 1765 in Form von
10 *Briefen in sehr bissiger und polemischer Weise den Literatur-*
betrieb seiner Zeit. Unter dem Titel „Briefe die Neueste Litte-
ratur betreffend" wurden diese Abhandlungen zunächst ano-
nym veröffentlicht. Im 17. Brief setzt Lessing sich besonders
pointiert mit Gottsched und seiner Theaterkonzeption ausein-
15 *ander.*

Den 16. Februar 1759

„Niemand", sagen die Verfasser der Bibliothek[1], „wird
leugnen, dass die deutsche Schaubühne einen großen Teil
ihrer ersten Verbesserung dem Herrn Professor Gott-
20 sched zu danken habe."
Ich bin dieser Niemand; ich leugne es geradezu. Es wäre
zu wünschen, dass sich Herr Gottsched niemals mit dem
Theater vermengt hätte. Seine vermeinten Verbesserungen
betreffen entweder entbehrliche Kleinigkeiten oder sind
25 wahre Verschlimmerungen.
Als die Neuberin[2] blühte und so mancher den Beruf fühlte, sich um sie und die Bühne verdient zu machen, sah es

---

[1] Die Zeitschrift „Bibliothek der schönen Wissenschaften und freien
Künste" wurde seit 1757 von Friedrich Nicolai herausgegeben
(später: „Allgemeine deutsche Bibliothek").

[2] Schauspielerin und Theaterleiterin, die zusammen mit Gottsched versuchte, das deutsche Theater im Sinne der Aufklärung zu erneuern

freilich mit unserer dramatischen Poesie sehr elend aus.
Man kannte keine Regeln; man bekümmerte sich um keine
Muster. Unsere Staats- und Heldenaktionen waren voller
Unsinn, Bombast, Schmutz und Pöbelwitz. Unsere Lust-
spiele bestanden in Verkleidungen und Zaubereien; und 5
Prügel waren die witzigsten Einfälle derselben. Dieses Ver-
derbnis einzusehen, brauchte man eben nicht der feinste
und größte Geist zu sein. Auch war Herr Gottsched nicht
der Erste, der es einsah; er war nur der Erste, der sich
Kräfte genug zutraute, ihm abzuhelfen. Und wie ging er da- 10
mit zu Werke? Er verstand ein wenig Französisch und fing
an zu übersetzen; er ermunterte alles, was reimen und
„Oui Monsieur" verstehen konnte, gleichfalls zu übersetz-
zen; er verfertigte, wie ein schweizerischer Kunstrichter[1]
sagt, mit „Kleister und Schere" seinen „Cato"[2]; er ließ den 15
„Darius" und die „Austern", die „Elise" und den „Bock im
Prozesse", den „Aurelius" und den „Witzling", die „Bani-
se" und den „Hypochondristen"[3] ohne Kleister und Schere machen; er legte seinen Fluch auf das Extemporieren[4];
er ließ den Harlekin feierlich vom Theater vertreiben, wel- 20
ches selbst die größte Harlekinade war, die jemals gespielt
worden; kurz, er wollte nicht sowohl unser altes Theater
verbessern, als der Schöpfer eines ganz neuen sein. Und
was für eines neuen? Eines französierenden, ohne zu untersuchen, ob dieses französierende Theater der deut- 25
schen Denkungsart angemessen sei oder nicht.
Er hätte aus unsern alten dramatischen Stücken, welche er
vertrieb, hinlänglich abmerken können, dass wir mehr in
den Geschmack der Engländer als der Franzosen einschla-
gen; dass wir in unsern Trauerspielen mehr sehen und den- 30
ken wollen, als uns das furchtsame französische Trauerspiel
zu sehen und zu denken gibt; dass das Große, das Schreck-

---

[1] Gemeint ist Johann Jakob Breitinger, der sich in seiner „Kritischen
  Dichtkunst" (1740) gegen den extremen Rationalismus Gottscheds
  wandte.
[2] von Gottsched nach einer englischen Vorlage verfasstes Stück
[3] zeitgenössische Stücke, die sich an den Regeln Gottscheds orientierten
[4] Aus dem Stegreif sprechen. Bis ins 18. Jh. hinein gingen die Schauspieler sehr frei mit dem Text der gespielten Stücke um.

liche, das Melancholische besser auf uns wirkt als das Arti-
ge, das Zärtliche, das Verliebte; dass uns die zu große Einfalt mehr ermüdet als die zu große Verwickelung usw. Er
hätte also auf dieser Spur bleiben sollen, und sie würde ihn
5 geraden Weges auf das englische Theater geführt haben. –
Sagen Sie ja nicht, dass er auch dieses zu nutzen gesucht,
wie sein „Cato" es beweise. Denn eben dieses, dass er
den Addison'schen[1] „Cato" für das beste englische Trauerspiel hält, zeigt deutlich, dass er hier nur mit den Augen
10 der Franzosen gesehen und damals keinen Shakespeare,
keinen Jonson[2], keinen Beaumont[3] und Fletcher[3] usw. gekannt hat, die er hernach aus Stolz auch nicht hat wollen
kennenlernen.

Wenn man die Meisterstücke des Shakespeare mit einigen
15 bescheidenen Veränderungen unsern Deutschen übersetzt
hätte, ich weiß gewiss, es würde von bessern Folgen gewesen sein, als dass man sie mit dem Corneille[4] und Racine[5]
so bekannt gemacht hat. Erstlich würde das Volk an jenem
weit mehr Geschmack gefunden haben, als es an diesen
20 nicht finden kann; und zweitens würde jener ganz andere
Köpfe unter uns erweckt haben, als man von diesen zu
rühmen weiß. Denn ein Genie kann nur von einem Genie
entzündet werden; und am leichtesten von so einem, der
alles bloß der Natur zu danken zu haben scheint und
25 durch die mühsamen Vollkommenheiten der Kunst nicht
abschreckt.

Auch nach den Mustern der Alten[6] die Sache zu entscheiden, ist Shakespeare ein weit größerer tragischer Dichter
als Corneille; obgleich dieser die Alten sehr wohl und je-
30 ner fast gar nicht gekannt hat. Corneille kommt ihnen in
der mechanischen Einrichtung und Shakespeare in dem

---

[1] englischer Schriftsteller, bekannt als Herausgeber moralischer Wo-
chenschriften (1672 – 1719)
[2] nach Shakespeare der berühmteste englische Dramatiker der Elisa-
bethanischen Zeit (1573 – 1637)
[3] englische Dramatiker, die die meisten ihrer Stücke gemeinsam verfasst haben (1585 – 1616 und 1579 – 1625)
[4] franz. Dramatiker (1606 – 1684)
[5] franz. Dramatiker (1639 – 1699)
[6] Gemeint sind die antiken Dichter.

Wesentlichen näher. Der Engländer erreicht den Zweck
der Tragödie fast immer, so sonderbare und ihm eigene
Wege er auch wählt; und der Franzose erreicht ihn fast
niemals, ob er gleich die gebahnten Wege der Alten betritt.
Nach dem „Oedipus" des Sophokles muss in der Welt 5
kein Stück mehr Gewalt über unsere Leidenschaften haben als „Othello", als „König Lear", als „Hamlet" usw. Hat
Corneille ein einziges Trauerspiel, das sie nur halb so
gerührt hätte als die „Zaire" des Voltaire[1]? Und die „Zaire" des Voltaire, wie weit ist sie unter dem „Mohren von 10
Venedig", dessen schwache Kopie sie ist und von welchem
der ganze Charakter des Orosmans[2] entlehnt worden?
Dass aber unsre alten Stücke wirklich sehr viel Englisches
gehabt haben, könnte ich Ihnen mit geringer Mühe weitläu-
fig beweisen. Nur das bekannteste derselben zu nennen: 15
Doktor Faust[3] hat eine Menge Szenen, die nur ein Shakes-
peareesches Genie zu denken vermögend gewesen. Und wie
verliebt war Deutschland und ist es zum Teil noch in seinen
„Doktor Faust"!

Aus: Gotthold Ephraim Lessing. Gesammelte Werke. Hg. von W. Stammler. Carl
Hanser Verlag, München 1959, 2. Band, S. 52–54

---

[1] eigtl. François Marie Arouet, franz. Dichter, Philosoph und Historiker (1694 – 1778)
[2] Figur aus Voltaires Drama „Zaire"
[3] Verbreitet ist in dieser Zeit der Faust-Stoff als Volksschauspiel und
Marionettenspiel.

2. Biografische Bezüge des Dramas

Michael Fuchs
Gotthold Ephraim Lessing – Kurzbiografie

1729	Geburt Lessings in Kamenz/Oberlausitz als Sohn des protestantischen Pfarrers Johann Gottfried Lessing und der Pfarrerstochter Justine Salome Lessing. Er ist das dritte von zwölf Kindern, von denen aber nur sieben über das erste Lebensjahr hinauskommen. Er ist der älteste überlebende Sohn. Zunächst Hausunterricht bei seinem Vater, dann Besuch der Lateinschule in Kamenz. Lessing soll nach Willen der Eltern Pfarrer werden.
1740	Geburt des Bruders Karl Gotthelf, der später eine Biografie seines Bruders verfassen wird.
1741 – 46	Besuch der Fürstenschule St. Afra in Meißen. Erste schriftstellerische Versuche.
1746	Wegen guter Leistungen vorzeitige Entlassung aus der Schule. Beginn des Studiums der Theologie in Leipzig, aber hauptsächlich Beschäftigung mit Theater und Theaterkunst.
1748	Aufführung seines Lustspiels *Der junge Gelehrte* durch die Theatergruppe von C. Neuber. Kurzzeitig Medizinstudium in Wittenberg, dann Umzug nach Berlin, um Gläubigern in Leipzig zu entkommen.
1748 – 56	Veröffentlichung vieler Rezensionen wissenschaftlicher und literarischer Neuerscheinungen. Freundschaft mit bedeutenden Autoren seiner Zeit, u. a. Ewald von Kleist, Moses Mendelssohn und Friedrich Nicolai. Abfassung weiterer Theaterstücke: *Die Juden, Samuel Henzi.* Weiterhin: *Beyträge zur Historie und Aufnahme des Theaters.*
1752	Abschluss des Medizinstudiums mit einer Magisterarbeit zur Biografie des Mediziners Juan Huartes.

| 1753 | *Fabeln und Erzählungen* |
| 1755 | Niederschrift und Uraufführung des bürgerlichen Trauerspiels *Miss Sara Sampson*. Intensive Freundschaft und Briefwechsel mit dem jüdischen Philosophen Moses Mendelssohn |

Gotthold Ephraim Lessing. Gemälde von Georg Oswald May
(Foto: AKG, Berlin)

und dem Verleger und Literaturkritiker Friedrich Nicolai.

1756 Anstellung als Begleiter eines jungen Leipziger Kaufmanns auf einer Weltreise. Abbruch dieser Reise in Amsterdam wegen Ausbruchs des Siebenjährigen Krieges. Siebenjähriger Prozess, um das versprochene Entgelt für die Reisebegleitung zu erhalten. Ständige Geldnöte.

1758 Arbeit am Fragment gebliebenen *Faust-Drama*.

1759 Abfassung der Prosa-Tragödie *Philotas* und der *Abhandlungen über die Fabel. Briefe die Neueste Litteratur betreffend.*

1760 – 65 Anstellung als Sekretär des Generalgouverneurs von Schlesien, General von Tauentzien.

1765 – 67 Aufenthalt in Berlin; eine Bewerbung um die Leitung der Königlichen Bibliothek wird von Friedrich II. abgewiesen.

1766 Abhandlung *Laokoon oder Über die Grenzen der Malerei und Poesie.*

1767 Wechsel nach Hamburg, Übernahme der Stelle eines Dramaturgen am neu gegründeten Nationaltheater. Uraufführung der Komödie *Minna von Barnhelm oder das Soldatenglück.*

1767 – 69 *Hamburgische Dramaturgie:* Sammlung von 52 Theaterkritiken.

1768 Schließung des Nationaltheaters wegen mangelnden Publikumsinteresses; ein mit Freunden gegründetes Verlagsunternehmen scheitert; finanzielle Schwierigkeiten.

1770 – 81 Bibliothekar an der berühmten Hofbibliothek des Braunschweiger Herzogs in Wolfenbüttel.

1771 Verlobung mit Eva König, einer Hamburger Kaufmannswitwe; die Hochzeit muss wegen des geringen Gehalts zunächst aufgeschoben werden. Mitgliedschaft bei den Freimaurern.

1772 Uraufführung des bürgerlichen Trauerspiels *Emilia Galotti.* Lessing lässt seine Abwesenheit mit Zahnschmerzen entschuldigen.

1775	Unfreiwillige Reise nach Italien mit dem Braunschweiger Prinzen Leopold, dadurch wiederum Aufschub der geplanten Hochzeit.
1776	Heirat mit Eva König.
1777	Geburt eines Sohnes, der am ersten Lebenstag stirbt.
1778	Tod seiner Frau. Religionsstreit mit dem Hamburger Hauptpastor Goeze (*Anti-Goeze. Theologische Kampfschriften*).
1779	Abfassung des dramatischen Gedichts *Nathan der Weise*.
1780	*Ernst und Falk. Gespräche für Freimaurer*. Abfassung des geschichtsphilosophischen Werks *Erziehung zum Menschengeschlecht*.
15.2.1781	Tod Lessings in Braunschweig.

Lessings Lebenstraum war es, als freier Schriftsteller arbeiten zu können. Er wollte „niemands Herr noch Knecht" sein. Doch alle seine Pläne scheiterten (das Hamburger Projekt, ein Nationaltheater zu gründen; der Versuch, einen selbstständigen Verlag zu unterhalten), sodass er am Ende die schlecht bezahlte Stellung eines Bibliothekars in Wolfenbüttel annehmen muss. Sein mit Freuden erwartetes Kind stirbt am ersten Lebenstag, seine geliebte Frau zehn Tage später. An seinen Freund Theodor Eschenburg schreibt er:

Mein lieber Eschenburg,
Ich ergreife den Augenblick, da meine Frau ganz ohne Besinnung liegt, um Ihnen für Ihren gütigen Antheil zu danken. Meine Freude war nur kurz: Und ich verlor ihn so ungern, diesen Sohn! denn er hatte so viel Verstand! so viel Verstand! – Glauben Sie nicht, dass die wenigen Stunden meiner Vaterschaft mich schon so zu einem Affen von Vater gemacht haben! Ich weiß, was ich sage. – War es nicht Verstand, dass man ihn mit eisernen Zangen auf die Welt ziehen musste? dass er so bald Unrath merkte? – War es nicht Verstand, dass er die erste Gelegenheit ergriff, sich wieder davonzumachen? – Freylich zerrt mir der kleine Ruschelkopf auch die Mutter mit fort! – Denn es ist noch wenig Hoffnung, dass ich sie behalten werde. –
Ich wollte es auch einmal so gut haben, wie andere Menschen. Aber es ist mir schlecht bekommen. Lessing

Literatur:

- Hildebrandt, Dieter: Lessing. Eine Biographie. Reinbek: Rowohlt, 1990
- Drews, Wolfgang: Gotthold Ephraim Lessing. Mit Selbstzeugnissen und Bilddokumenten. Reinbek: Rowohlt, 1991
- Harth, Dietrich: Gotthold Ephraim Lessing oder die Parodoxien der Selbsterkenntnis. München: Beck, 1993

Hans Ritscher
Lessing in Wolfenbüttel

Nach zwei Jahrzehnten wechselvoller Versuche, eine unabhängige Schriftstellerexistenz zu behaupten, trat Gotthold Ephraim Lessing im Jahre 1770 das Amt des Bibliothekvorstehers zu Wolfenbüttel an. Es war das gleiche Jahr, in dem
5 der junge Goethe nach Straßburg zog und dort Herder begegnete, der zuvor in Hamburg gewesen war. Das „Deutsche Nationaltheater" hatte schon seit zwei Jahren für immer seine Pforten geschlossen und sein Dramaturg hatte eben zur Zeit von Herders Besuch die Abhandlung „Wie die
10 Alten den Tod gebildet" abgeschlossen, aber die freie Feder vermochte den Mann nicht auf die Dauer zu ernähren: Herder erfuhr, dass Lessing das Angebot, in das braunschweigische Residenzstädtchen überzusiedeln, angenommen habe.
Das letzte Lebensjahrzehnt des Dichters in Wolfenbüttel
15 schildert *Emil Ermatinger:* „Es mochte ihn wohl reizen, die altberühmte, an Handschriften, Wiegendrucken und andern Seltenheiten reiche Guelferbytana[1] zu betreuen, umso mehr, als der Erbprinz von Braunschweig, Karl Wilhelm Ferdinand, der Bruder Anna Amalias von Weimar, sich per-
20 sönlich um ihn bemüht hatte. Die Besoldung war anfangs kärglich, öde seine Wohnung im großen leeren Schloss und der Verkehr mit den geistigen Notabilitäten[2] in Wolfenbüttel und Braunschweig kein Ersatz für das Leben in Berlin. Er war nicht abgeneigt, Wolfenbüttel mit einem größern

---

[1] Bezeichnung für die Bibliothek in Wolfenbüttel, der Ortsname und die Bezeichnung haben den gleichen etymologischen Ursprung.
[2] Persönlichkeiten

Wirkungsbereich zu vertauschen. In Wien und in Mannheim schien sich für ihn die Aussicht aufzutun, die Leitung eines zu gründenden Nationaltheaters zu übernehmen. Er reiste Mitte der Siebzigerjahre nach beiden Orten. „Warum das Ding nicht versuchen?", erklärte er, als er sich 5 entschloss, nach Wien zu gehen. „In Wolfenbüttel müsste ich schlechterdings im Schlamme ersticken und keinem Menschen ist eigentlich daran gelegen, ob ich länger dableibe oder nicht" (17. März 1775). Maria Theresia empfing ihn in Schönbrunn und unterhielt sich mit ihm über 10 Theater, Wissenschaft und Literatur der Zeit. Sie wollte von ihm wissen, wie er den Stand der Bildung in Österreich finde. „Ich weiß wohl", soll sie gesagt haben, „dass es mit dem guten Geschmacke nicht recht vorwärts will. Sage Er mir doch, woran die Schuld liegt? Ich habe alles getan, 15 was meine Einsichten und Kräfte erlauben ..." Aber auch aus Wien, wie aus Mannheim, kehrte Lessing um eine Enttäuschung reicher nach Hause. 1775 machte er als Begleiter eines braunschweigischen Prinzen eine Reise nach Italien. Man ging über Turin nach Rom und Neapel und zurück 20 über Venedig. – Schließlich blieb, nachdem alle andern Hoffnungen sich zerschlagen, eben doch Wolfenbüttel seine letzte Zuflucht. „Darin haben Sie vollkommen recht", schrieb er am 2. Juni 1775 von Venedig aus an Eva König, „dass auf die Länge Wolfenbüttel mehr mein Ort ist als je- 25 der andere ... Ganz gewiss werde ich auch also alles darauf anlegen, um in Wolfenbüttel zu bleiben."
Eva König, die 1736 in Heidelberg geboren war, hatte er als die Gattin eines Kaufmanns und Fabrikanten in Hamburg kennengelernt. Ihr Mann hatte weit ausgesponnene Ge- 30 schäfte begründet und besaß eine Seiden- und eine Tapetenfabrik in Wien. Als er auf einer Reise nach Italien 1769 plötzlich in Venedig starb, wurde Lessing der treueste Freund seiner Witwe und der Berater ihrer Kinder. Sie war eine hochgebildete und geistig regsame, auch geschäftlich 35 tüchtige Frau. 1771 verlobte er sich mit ihr. Sie aber hatte die Pflicht, vorerst für sich und ihre Kinder die Geschäfte ihres Mannes zu liquidieren[1]. Es währte fünf Jahre, ehe sie hei-

---

[1] abzuwickeln

raten konnten. Wenig mehr als ein Jahr dauerte die glückliche Ehe. Ende 1777 starb das Söhnlein, das Eva geboren, und zu Anfang des nächsten Jahres folgte ihm die Mutter.

Man tut Lessing sicherlich Unrecht, wenn man ihm die
5 tiefe Gefühlskraft abspricht. Aber er ist so sehr von Gedanke und Tat beherrscht, dass ihm das lange Verweilen in den Gründen des Fühlens schwächlich vorkommt. Er hat, als Eschenburg[1] ihm Goethes „Werther" schickte (1774), den ihm peinlichen Konflikt des in sich gespaltenen und
10 grübelnden Gemütes rasch und derb auf die Seite geschoben: „Glauben Sie wohl, dass je ein römischer oder griechischer Jüngling sich *so* und *darum* das Leben genommen? Gewiss nicht. Die wussten sich vor der Schwärmerei der Liebe ganz anders zu schützen: und zu Sokrates'[2] Zei-
15 ten würde man eine solche Besessenheit aus Liebe, welche etwas Widernatürliches zu wagen antreibt, nur kaum einem Mädelchen verziehen haben. Solche kleingroße, verächtlich schätzbare Originale hervorzubringen, war nur der christlichen Erziehung vorbehalten, die ein kör-
20 perliches Bedürfnis so schön in eine geistige Vollkommenheit zu verwandeln weiß. Also, lieber Goethe, noch ein Kapitelchen zum Schlusse; und je zynischer je besser!" Dieses Urteil steht auf dem gleichen Boden wie Nicolais[3] Wertherparodie „Die Freuden des jungen Werthers".
25 Das an antikem Vorbild und zeitgenössischem Heldentum geschulte männliche Geschlecht des Siebenjährigen Krieges musste den Gefühlsüberschwang der Jünglinge um 1770 verabscheuen.

Von Lessing gibt es, soweit wir wissen, denn auch keine
30 Liebesbriefe, in denen sich ein leidenschaftlich zärtliches Herz ausströmt. Denn die zahlreichen Briefe, die er an die kluge und tüchtige Eva König geschrieben hat, sind eher als Geschäftsbriefe zu bezeichnen. Sie handeln von praktischen Dingen, von Lotterielosen, von Liquidation der Ge-
35 schäfte, von Reisen und Krankheiten und dergleichen. Und

---

[1] Freund Lessings, Professor und Shakespeare-Übersetzer
[2] griechischer Philosoph (470–399 v. Chr.)
[3] Publizist, Kritiker und Erzähler, Herausgeber einflussreicher Zeitschriften (1733–1811)

die Anreden steigen von „Meine liebste Madame" bis
höchstens „Meine liebste Freundin" oder „Meine Liebe".
Ein Ton starken Wohlwollens, unbedingten Vertrauens und
tatkräftiger Anteilnahme klingt durch sie, aber nicht Zärt-
lichkeit.   5
Sobald er merkt, dass ein Gefühl, ein Schmerz ihn über-
mannen will, presst er ihn zusammen, dass der strömende
Dampf zu den harten und spitzigen Eiskristallen des Witzes gefriert. Nichts ist bezeichnender als seine kurzen
Briefe an Eschenburg über den Tod von Sohn und Gattin. 10
Am 31. Dezember 1777: „Meine Freude war nur kurz: und
ich verlor ihn so ungern, diesen Sohn! Denn er hatte so
viel Verstand! so viel Verstand! ... War es nicht Verstand,
dass man ihn mit eisernen Zangen auf die Welt ziehen
musste? Dass er so bald Unrat merkte?" Am 7. Januar, 15
nachdem er einen Trostbrief von Eschenburg erhalten,
nimmt er schamvoll auch diesen Ausdruck wieder zurück:
„Ich kann mich nicht erinnern, was für ein tragischer Brief
das kann gewesen sein, den ich Ihnen soll geschrieben haben. Ich schäme mich herzlich, wenn er das Geringste von 20
Verzweiflung verrät." Wie ihm drei Tage darauf das größte
Leid widerfährt, das ihn treffen konnte, schreibt er denn
auch nicht viel mehr als die Tatsache: „Meine Frau ist tot:
und diese Erfahrung habe ich nun auch gemacht. Ich freue
mich, dass mir viel dergleichen Erfahrungen nicht mehr 25
übrig sein können zu machen; und bin ganz leicht." Was für
ein Übermaß an Fassung in jedem dieser zentnerschweren
Worte!
Als Lessing dieses doppelte Unglück traf, war sein Leben
von den stürmischen Wogen eines heftigen Streites um- 30
brandet. Er hatte 1772 die „Emilia Galotti" herausgegeben.
1773 begründete er die „Beiträge zur Geschichte und Literatur. Aus den Schätzen der herzoglichen Bibliothek", eine lose Folge von Mitteilungen über seine Entdeckungen
über Handschriften und seltene Drucke. In dieser Reihe 35
veröffentlichte er unter dem Titel „Fragmente eines Unge-
nannten" von 1774 bis 1778 Stücke aus der „Apologie
oder Schutzschrift für die vernünftigen Verehrer Gottes",
die er von den Kindern des Verfassers, des ehemaligen
Professors Samuel Reimarus in Hamburg, erhalten hatte. 40

Es war eine kühne Kritik des Alten und des Neuen Testamentes und der Hauptsätze des protestantischen Lehrbegriffes, wie der Sätze von der Erbsünde, der Erlösung durch den Tod Christi. Er hatte den Namen des Verfassers
5 verschwiegen und war nun selber die Zielscheibe der Angriffe, die von orthodoxer Seite gegen das Werk eröffnet wurden. Allen voran im Streite stand der Hamburger Hauptpastor Melchior Goeze. Lessing verteidigte sich in einer Reihe von „Anti-Goeze" genannten Briefen. Goeze
10 antwortete. Der Streit stieg zu unerhörter Leidenschaft. Heftige Beschuldigungen, ja Beleidigungen folgten einander auf beiden Seiten. Da gelang es der Gegenpartei, Lessing den schwersten Schlag zu versetzen. Der Herzog wurde veranlasst, Lessing die Zensurfreiheit zu entziehen, die er
15 bisher als Bibliothekar genossen und unter deren Schutz er auch seine Kampfschriften gegen Goeze veröffentlicht hatte. Das war im Juli 1778, ein halbes Jahr nach dem Tode von Frau und Kind.
Aber Lessing wusste sich zu helfen. Er wollte dem Feinde
20 „von einer andern Seite in die Flanke fallen". In den „Beiträgen zur Historie und Aufnahme des Theaters" hatte er schon 1750 erklärt: „Selbst die Streitigkeiten verschiedener Religionen können auf das Nachdrücklichste auf der Schaubühne vorgestellet werden." Jetzt beschloss er, wie
25 er am 6. September an Elise Reimarus schrieb, den Versuch zu machen, ob man ihn „auf seiner alten Kanzel, dem Theater, wenigstens noch ungestört wolle predigen lassen." Schon 1776 hatte er ein Stück entworfen, das die Frage der wahren Religion behandelte. Er nahm es wieder
30 vor und beendete es im Frühjahr 1779. Es war „Nathan der Weise". Ein Jahr später ließ er ihm die kleine Schrift „Die Erziehung des Menschengeschlechtes" folgen. Schon bei der Niederschrift dieser Abhandlung fühlte er sich leidend. Eine krankhafte Schlafsucht hatte sich seiner
35 bemächtigt. Mühsam hielt er sich aufrecht. Am 15. Februar 1781 starb er während eines Besuches in Braunschweig.

Aus: Hans Ritscher. Gotthold Ephraim Lessing. Nathan der Weise. Grundlagen und Gedanken zum Verständnis des Dramas. Diesterweg Verlag. Frankfurt, Berlin, München 1970, S. 3–6

3. Historischer Hintergrund

Gerhard Sedding
Der historische Hintergrund des Dramas „Nathan der Weise"

Lessing versetzt den Leser, den Zuschauer im Theater, nach Palästina, in die Zeit der Kreuzzüge, wo Europa und der vordere Orient, Christentum, Judentum und Islam in vielfältiger Weise aufeinandertreffen. 1099 war im ersten Kreuzzug das christliche Königreich Jerusalem gegründet 5 worden. Durch rasche Thronwechsel und ausbleibende Hilfe von Byzanz war es geschwächt. Saladin, Sultan von Ägypten und Syrien, provoziert durch einen Raubüberfall eines christlichen Ritters auf eine Karawane, mit der eine Schwester Saladins reiste, schlug das christliche Heer und 10 eroberte Jerusalem (1187). Das führte zum dritten Kreuzzug, unternommen zu Land von Kaiser Friedrich Barbarossa (der unterwegs ertrank) und zur See von Richard Löwenherz, König von England, und Philipp II. August, König von Frankreich. 1191 wurde Akkon[1] erobert, 1192 ein 15 Waffenstillstand geschlossen, Jerusalem bleibt in den Händen Saladins. Die Tempelritter (Tempelherren), ein geistlicher Orden zum Schutz des heiligen Grabes Jesu und der christlichen Pilger, 1119 gegründet, brechen den Waffenstillstand. Saladin möchte ihn wieder herstellen und festi- 20 gen, indem sein Bruder Malek (Melek) Richards Schwester heiraten soll und beider Gebiete in einem christlich-moslemischen Mischstaat vereinigt werden. Die Nathan-Handlung spielt 1192.

Etliche Textstellen nehmen Bezug auf den historischen 25 Hintergrund:

I,5:   Der Tempelherr wurde bei Tebnin gefangen, als sie die Burg „mit des Stillstands letzter Stunde" gern erstiegen hätten.

I,5:   „König Philipp wissen lassen:/ ... /Ob die Gefahr 30 denn gar so schrecklich, um/ Mit Saladin den Waffenstillstand,/ Den Euer Orden schon so brav gebro-

---

[1]   syrische Hafenstadt

chen,/ Es koste, was es wolle, wiederher-/ Zustellen".

I,6: Dajas Mann ist mit Barbarossa in einem Fluss ertrunken.

5 II,1: Saladin „hätte gern den Stillestand aufs Neue/ Verlängert", seine Schwester Sittah mit Richards Bruder, seinen Bruder Melek mit Richards Schwester verheiratet.

II,1: „Die Tempelherren/ ... sind schuld ... / ... Sie wollen
10 Acca,/ Das Richards Schwester unserm Bruder Melek/ Zum Brautschatz bringen müsste, schlechterdings/ Nicht fahren lassen".

IV,2: „Saladin,/ Vermöge der Kapitulation,/ Die er beschworen ...": ein von Saladin 1187 bei der Einnah-
15 me Jerusalems abgeschlossener Vertrag.

Aus: Gerhard Sedding. Lektürehilfen. Gotthold Ephraim Lessing. Nathan der Weise. Ernst Klett Verlag. Stuttgart, München, Düsseldorf, Leipzig 1991, S. 7–8

4. Lessings Quelle – Das Decamerone

Der inhaltliche Kern des Dramas, insbesondere die Ringparabel,
geht zurück auf eine Erzählung aus einer Novellensammlung
des italienischen Dichters Giovanni Boccaccio, die in der Zeit
von 1349 – 1353 entstanden ist. Der Text ist eingebettet in eine
Rahmenhandlung. Im Pestjahr 1348 fliehen zehn junge adelige 5
Leute aus der Stadt Florenz vor der schrecklichen Epidemie für
zwei Wochen aufs Land. Dort vertreiben sie sich die Zeit, indem
sie sich gegenseitig Geschichten erzählen. Die dritte, erzählt von
Philomele, handelt von dem Juden Melchisedech und bildet die
Grundlage für die Ringparabel. 10

Giovanni Boccaccio
Decamerone: Dritte Geschichte

Der Jude Melchisedech entgeht durch eine Geschichte von drei
Ringen einer großen Gefahr, die Saladin ihm bereitet.

Als Neiphile schwieg und ihre Geschichte von allen gelobt
worden war, fing Philomele, nach dem Wunsche der Königin, also zu reden an: 15
Die Erzählung der Neiphile erinnert mich an die gefährliche
Lage, in der sich einst ein Jude befand; und, da von Gott und
von der Wahrheit unsers Glaubens bereits in angemessener
Weise gesprochen ist, es mithin nicht unziemlich erscheinen
kann, wenn wir uns nun zu den Schicksalen und Handlungen 20
der Menschen herablassen, so will ich euch jene Geschichte
erzählen, die vielleicht eure Vorsicht vermehren wird, wenn
ihr auf vorgelegte Fragen zu antworten habt. Ihr müsst nämlich wissen, liebreiche Freundinnen, dass, wie die Torheit gar
manchen aus seiner glücklichen Lage reißt und ihn in tiefes 25
Elend stürzt, so den Weisen seine Klugheit aus großer Gefahr errettet und ihm vollkommene Ruhe und Sicherheit gewährt. Dass in der Tat der Unverstand oft vom Glücke zum
Elend führt, das zeigen viele Beispiele, die wir gegenwärtig
nicht zu erzählen gesonnen sind, weil deren täglich unter 30
unsern Augen sich zutragen. Wie aber die Klugheit helfen
kann, will ich versprochenermaßen in folgender kurzen Geschichte euch zeigen.

Saladin, dessen Tapferkeit so groß war, dass sie ihn nicht nur von einem geringen Manne zum Sultan von Babylon erhob, sondern ihm auch vielfache Siege über sarazenische und christliche Fürsten gewährte, hatte in zahlreichen
5 Kriegen und in großartigem Aufwand seinen ganzen Schatz geleert und wusste nun, wo neue und unerwartete Bedürfnisse wieder eine große Geldsumme erheischten, nicht, wo er sie so schnell, als er ihrer bedurfte, auftreiben sollte. Da erinnerte er sich eines reichen Juden, namens
10 Melchisedech, der in Alexandrien auf Wucher lieh und nach Saladins Dafürhalten wohl imstande gewesen wäre, ihm zu dienen, aber so geizig war, dass er von freien Stücken es nie getan haben würde. Gewalt wollte Saladin nicht gebrauchen; aber das Bedürfnis war dringend, und es
15 stand bei ihm fest, auf eine oder die andere Art solle der Jude ihm helfen. So sann er denn nur auf einen Vorwand, unter einigem Schein von Recht ihn zwingen zu können.
Endlich ließ er ihn rufen, empfing ihn auf das Freundlichste, hieß ihn neben sich sitzen und sprach alsdann: „Mein
20 Freund, ich habe schon von vielen gehört, du seiest weise und habest besonders in göttlichen Dingen tiefe Einsicht; nun erführe ich gern von dir, welches unter den drei Gesetzen du für das wahre hältst, das jüdische, das sarazenische oder das christliche." Der Jude war in der Tat ein
25 weiser Mann und erkannte wohl, dass Saladin ihm solcherlei Fragen nur vorlegte, um ihn in seinen Worten zu fangen; auch sah er, dass, *welches* von diesen Gesetzen er vor den andern loben möchte, Saladin immer seinen Zweck erreichte. So bot er denn schnell seinen ganzen Scharfsinn
30 auf, um eine unverfängliche Antwort, wie sie ihm nottat, zu finden, und sagte dann, als ihm plötzlich eingefallen war, wie er sprechen sollte:
„Mein Gebieter, die Frage, die Ihr mir vorlegt, ist schön und tiefsinnig; soll ich aber meine Meinung darauf sagen, so
35 muss ich Euch eine kleine Geschichte erzählen, die Ihr sogleich vernehmen sollt. Ich erinnere mich, oftmals gehört zu haben, dass vor Zeiten ein reicher und vornehmer Mann lebte, der vor allen andern auserlesenen Juwelen, die er in seinem Schatze verwahrte, einen wunderschönen und kostbaren Ring werthielt. Um diesen seinem Wert

und seiner Schönheit nach zu ehren und ihn auf immer in dem Besitze seiner Nachkommen zu erhalten, ordnete er an, dass derjenige unter seinen Söhnen, der den Ring, als vom Vater ihm übergeben, würde vorzeigen können, für seinen Erben gelten und von allen den andern als der Vor-5 nehmste geehrt werden solle. Der erste Empfänger des Ringes traf unter seinen Kindern ähnliche Verfügung und verfuhr dabei wie sein Vorfahre. Kurz, der Ring ging von Hand zu Hand auf viele Nachkommen über. Endlich aber kam er in den Besitz eines Mannes, der drei Söhne hatte, 10 die sämtlich schön, tugendhaft und ihrem Vater unbedingt gehorsam, aber auch gleich zärtlich von ihm geliebt waren. Die Jünglinge kannten das Herkommen in Betreff des Rin- ges, und da ein jeder der Geehrteste unter den Seinigen zu werden wünschte, baten alle drei einzeln den Vater, der 15 schon alt war, auf das Inständigste um das Geschenk des Ringes. Der gute Mann liebte sie alle gleichmäßig und wusste selber keine Wahl unter ihnen zu treffen; so ver- sprach er denn den Ring einem jeden und dachte auf ein Mittel, alle zu befriedigen. Zu dem Ende ließ er heimlich 20 von einem geschickten Meister zwei andere Ringe verferti- gen, die dem ersten so ähnlich waren, dass er selbst, der doch den Auftrag gegeben, den rechten kaum zu erkennen wusste. Als er auf dem Todbette lag, gab er heimlich jedem der Söhne einen von den Ringen. Nach des Vaters Tode 25 nahm ein jeder Erbschaft und Vorrang für sich in Anspruch, und da einer dem andern das Recht dazu bestritt, zeigte der eine wie die andern, um die Forderung zu begründen, den Ring, den er erhalten hatte, vor. Da sich nun ergab, dass die Ringe einander so ähnlich waren, dass niemand, 30 welcher der echte sei, erkennen konnte, blieb die Frage, welcher von ihnen des Vaters wahrer Erbe sei, unentschie- den, und bleibt es noch heute.

So sage ich euch denn, mein Gebieter, auch von den drei Gesetzen, die Gott der Vater den drei Völkern gegeben, 35 und über die Ihr mich befraget. Jedes der Völker glaubt seine Erbschaft, sein wahres Gesetz und seine Gebote zu haben, damit es sie befolge. Wer es aber wirklich hat, da- rüber ist, wie über die Ringe, die Frage noch unentschie- den."
40

Als Saladin erkannte, wie geschickt der Jude den Schlingen entgangen sei, die er ihm in den Weg gelegt hatte, entschloss er sich, ihm geradezu sein Bedürfnis zu gestehen. Dabei verschwieg er ihm nicht, was er zu tun gedacht habe, wenn jener ihm nicht mit so viel Geistesgegenwart geantwortet hätte. Der Jude diente Saladin mit allem, was dieser von ihm verlangte, und Saladin erstattete jenem nicht nur das Darlehn vollkommen, sondern überhäufte ihn noch mit Geschenken, gab ihm Ehre und Ansehen unter denen, die ihm am nächsten standen, und behandelte ihn immerdar als seinen Freund.

Aus: Giovanni Boccaccio. Das Dekameron. Übersetzt von Karl Kraus. Bd. I Leipzig 1859. S. 49–53

5. „Was ist Aufklärung?"

Herbert A. und Elisabeth Frenzel
Daten deutscher Dichtung: 1720 – 1785
Aufklärung

Die Dichtung der Aufklärung in der Epoche zwischen 1720 und 1785, in der die allgemeinen aufklärerischen Standpunkte auf die deutsche poetische Literatur übertragen wurden, hat zwei Hauptphasen: bis 1740 im Zeichen Gottscheds und von 1755 bis 1770 im Zeichen Lessings. [...]   5
Die Aufklärung vollendete alle Bemühungen seit dem Ende des Mittelalters, den Menschen aus jenseitigen Bindungen zu lösen. Ihr Ziel war die allseitige, selbstständige Entwicklung des menschlichen Geistes. Der naturwissenschaftlich gebildete Geist tritt kritisch an die übernatürlichen Elemen- 10
te im christlichen Dogma heran: natürliche Religion. Der Deismus ist eine philosophische Religion von wesentlich moralischem Inhalt. Die Welt ist zwar von Gott erschaffen, aber ihr gesetzmäßiger Verlauf unabhängig von seinem Einwirken. Gott ist gütig und der Hüter des Sittlichen. Kant 15
beantwortete 1784 die Frage: Was ist Aufklärung? mit „Ausgang des Menschen aus seiner selbst verschuldeten Unmündigkeit". Der Wahlspruch der Aufklärung sei: „Sapere aude! Habe Mut, dich deines eigenen Verstandes zu bedienen!"
Die Bestimmung des Menschen ist Vernunft verbreiten, die 20
Geister aufklären, die Tugend befördern. Das Glück liegt in Humanität. „Die unglückseligen Zeiten sind eine Frucht des Lasters, die glückseligen eine Frucht der Tugend" (Wolff). Duldsamkeit gegenüber den verschiedenen Konfessionen. Als Kennzeichen des Zeitalters gelten Optimismus: Leibnitz' 25
Lehre von der „besten aller Welten", Weltbürgertum: Überwindung nationaler Bestimmtheit als einer Fessel freien Denkens, Rationalismus: Glaube an die Erklärbarkeit auch problematischer Dinge sowie Zweifel am Offenbarungsglauben. 30

Aus: Herbert A. Frenzel und Elisabeth Frenzel: Daten deutscher Dichtung. Chronologischer Abriss der deutschen Literaturgeschichte. Band 1. Von den Anfängen bis zur Gegenwart. Deutscher Taschenbuch Verlag. München 1971. 7. Auflage (C) Kiepenheuer und Witsch, Köln 1953 (gekürzt)

Immanuel Kant
Beantwortung der Frage: Was ist Aufklärung?

Mit dem folgenden Aufsatz, der in Auszügen abgedruckt ist, versucht der Philosoph Immanuel Kant (1724 – 1804) die Frage „Was ist Aufklärung?" zu beantworten. Der Aufsatz erschien zuerst 1784 in der „Berlinischen Monatsschrift".

5 *Aufklärung ist der Ausgang des Menschen aus seiner selbst verschuldeten Unmündigkeit.* Unmündigkeit ist das Unvermögen, sich seines Verstandes ohne Leitung eines anderen zu bedienen. *Selbst verschuldet* ist diese Unmündigkeit, wenn die Ursache derselben nicht am Mangel des Verstandes, sondern
10 der Entschließung und des Mutes liegt, sich seiner ohne Leitung eines andern zu bedienen! Sapere aude! Habe Mut, dich deines *eigenen* Verstandes zu bedienen! ist also der Wahlspruch der Aufklärung.

Faulheit und Feigheit sind die Ursachen, warum ein so
15 großer Teil der Menschen, nachdem sie die Natur längst von fremder Leitung freigesprochen (naturaliter majorennes[1]), dennoch gerne zeitlebens unmündig bleiben; und warum es anderen so leicht wird, sich zu deren Vormündern aufzuwerfen. Es ist so bequem, unmündig zu sein. Ha-
20 be ich ein Buch, das für mich Verstand hat, einen Seelsorger, der für mich Gewissen hat, einen Arzt, der für mich die Diät beurteilt usw., so brauche ich mich ja nicht selbst zu bemühen. Ich habe nicht nötig zu denken, wenn ich nur bezahlen kann; andere werden das verdrießliche Geschäft
25 schon für mich übernehmen. Dass der bei Weitem größte Teil der Menschen (darunter das ganze schöne Geschlecht) den Schritt zur Mündigkeit außer dem, dass er beschwerlich ist, auch für sehr gefährlich halte: dafür sorgen schon jene Vormünder, die die Oberaufsicht über sie
30 gütigst auf sich genommen haben. Nachdem sie ihr Hausvieh zuerst dumm gemacht haben und sorgfältig verhüteten, dass diese ruhigen Geschöpfe ja keinen Schritt außer dem Gängelwagen[2], darin sie sie einsperreten, wagen durften, so zeigen sie ihnen nachher die Gefahr, die ihnen dro-

---

[1] von Natur aus erwachsen
[2] Lauflernhilfe

het, wenn sie es versuchen, allein zu gehen. Nun ist diese Gefahr zwar eben so groß nicht, denn sie würden durch einigemal Fallen wohl endlich gehen lernen; allein ein Beispiel von der Art macht doch schüchtern und schreckt gemeiniglich von allen ferneren Versuchen ab.   5

[...]

Zu dieser Aufklärung aber wird nichts erfordert als *Freiheit*; und zwar die unschädlichste unter allem, was nur Freiheit heißen mag, nämlich die: von seiner Vernunft in allen Stücken *öffentlichen Gebrauch* zu machen. Nun höre ich   10 aber von allen Seiten rufen: *räsoniert nicht!*[1] Der Offizier sagt: räsoniert nicht, sondern exerziert! Der Finanzrat: räsoniert nicht, sondern bezahlt! Der Geistliche: räsoniert nicht, sondern glaubt! (Nur ein einziger Herr in der Welt sagt: *räsoniert*, so viel ihr wollt und worüber ihr wollt; aber 15 *gehorcht!*[2] Hier ist überall Einschränkung der Freiheit. Welche Einschränkung aber ist der Aufklärung hinderlich? Welche nicht, sondern ihr wohl gar beförderlich? – Ich antworte: Der *öffentliche* Gebrauch seiner Vernunft muss jederzeit frei sein, und der allein kann Aufklärung unter 20 Menschen zustande bringen; der *Privatgebrauch* derselben aber darf öfters sehr enge eingeschränkt sein, ohne doch darum den Fortschritt der Aufklärung sonderlich zu hindern. Ich verstehe aber unter dem öffentlichen Gebrauche seiner eigenen Vernunft denjenigen, den jemand als *Gelehr-* 25 *ter* von ihr vor dem ganzen Publikum der *Leserwelt* macht. Den Privatgebrauch nenne ich denjenigen, den er in einem gewissen ihm anvertrauten *bürgerlichen Posten* oder Amte von seiner Vernunft machen darf.

[...]   30

Wenn denn nun gefragt wird: Leben wir jetzt in einem *aufgeklärten* Zeitalter? so ist die Antwort: Nein, aber wohl in einem Zeitalter der *Aufklärung*. Dass die Menschen, wie die Sachen jetzt stehen, im Ganzen genommen, schon im Stande wären oder darin auch nur gesetzt werden könnten, in Reli- 35 gionsdingen sich ihres eigenen Verstandes ohne Leitung eines andern sicher und gut zu bedienen, daran fehlt noch

---

[1] diskutiert nicht, schimpft nicht immer
[2] gemeint ist Friedrich II., der Große

sehr viel. Allein, dass jetzt ihnen doch das Feld geöffnet wird, sich darin frei zu bearbeiten, und die Hindernisse der allgemeinen Aufklärung oder des Ausganges aus ihrer selbst verschuldeten Unmündigkeit allmählich weniger werden, davon haben wir doch deutliche Anzeigen.

Aus: Immanuel Kant. Werke in 6 Bänden. Hg. von W. Weischedel, Band VI, Insel Verlag, Frankfurt 1956, S. 53 – 61 (gekürzt)

6. Nathan der Weise – Versuch einer Deutung

Theo Herold und Hildegard Wittenberg
Eine Utopie der idealen Kommunikations-
gemeinschaft: Lessings „Nathan der Weise"

Lessing wendet sich seiner „alten Kanzel, dem Theater", zu, wie er in einem Brief an Elise Reimarus schreibt. Nach den Vorstellungen und Erfahrungen Lessings ist die wirkliche Welt keine natürliche, die sie sein könnte; die Menschen verhindern die Übereinstimmung von Natürlichkeit 5 und Wirklichkeit. Dieser Zustand der Welt ist weder von der Vorsehung gewollt noch geschichtsphilosophisch zu rechtfertigen. Die Übereinstimmung wiederherzustellen, die Welt darzustellen, wie sie sein sollte, „wie ich sie mir denke", das meint Lessing nur auf der Bühne veranschauli- 10 chen und darlegen zu können. Und so verbindet er mit dem Drama den Anspruch, den Zuschauern eine Utopie vorzustellen.
Lessing greift zu einem Zeitpunkt auf die dramatischen Entwürfe zum „Nathan" zurück, da er als Bibliothekar in 15 Wolfenbüttel die Behinderung der öffentlichen Rede und Diskussion in Glaubensfragen am eigenen Leibe erfahren hat und das Theater als „Sprachrohr" für seine Utopie wahrnimmt.
Der Herzog von Braunschweig verbot am 13. Juli 1778 20 dem Bibliothekar Lessing in Wolfenbüttel einen öffentlichen Disput über theologische Fragen fortzusetzen. 1774 hatte er begonnen, Schriften des Religionskritikers Hermann Samuel Reimarus mit Kommentaren herauszugeben. Lessing veröffentlichte sieben sogenannte Fragmente, in 25 denen Reimarus beide Testamente vom Standpunkt einer natürlichen, vernünftigen Gotteserkenntnis, des Deismus, kritisiert. Obwohl in den Kommentaren Lessings deutlich wird, dass er sich nicht mit dem Standpunkt des Rationalisten identifiziert, er eigentlich nur mit der Veröffentlichung 30 der Fragen eine theologische Diskussion in der Gelehrtenwelt einleiten und die Wolfenbütteler Bibliothek im Gespräch halten will, wurde er scharf kritisiert. Allein die

Herausgeberschaft eines solchen Werkes genügte für die Kritik. Als 1777 der Hamburger Pastor Goeze eingriff und seine kirchenpolitische Macht gegen Lessing einsetzte, beeinflusste der Pastor den Herzog von Braunschweig, dem
5 Wolfenbütteler Bibliothekar den öffentlichen Disput zu verbieten. „In diesem Augenblick des Verdrusses, in welchem man immer gern vergessen möchte, wie die Welt wirklich ist", setzt nun Lessing mit dem „Nathan" der wirklichen Welt eine „natürliche" entgegen. Lessing inter-
10 pretiert den „Nathan" also als einen Entwurf von Wirklichkeit, einen Entwurf einer Welt, wie sie sein könnte, nämlich nichts anderes als eine natürliche Welt. Die Übereinstimmung der Welt, wie sie ist, und der Welt, wie sie sein könnte, ist, wie oben dargelegt wurde, ein Kennzei-
15 chen der Utopie. Wie die mögliche Welt in die wirkliche Welt zu überführen ist, dazu vermittelt das Drama den handelnden Personen – wenn auch graduell unterschieden –, vor allem aber dem Zuschauer, die nötige Erkenntnis.

Dass Lessings Utopie in der räumlichen Ferne des Orients
20 erscheint, hat mehrere Gründe. Im Zeitalter des entstehenden Welthandels übten die nichtchristlichen Kulturen eine starke Faszinationskraft auf die gebildete Gesellschaft des Abendlandes aus. Lessing appelliert an ein vorhandenes Leserinteresse, wenn er im „Nathan" den Orient als
25 Schauplatz wählt.

Das (Wunsch-)Bild eines Zeitalters, in dem Menschlichkeit und Toleranz gelebt werden können, bedeutet zugleich Kritik an Lessings eigener Zeit. Er entfaltet seine aufklärerischen Gedanken gegen Verblendung und Fanatismus auf dem
30 Hintergrund selbst erlebter Engstirnigkeiten und Zwänge.

Nathan, in die Zeit der Kreuzzüge gesetzt, ist ein mündiger Mensch des 18. Jahrhunderts, der den Prozess der Aufklärung voranzutreiben vermag.

In der Ringparabel wird auf weit zurückliegende „graue
35 Jahre" verwiesen; am Ende der Parabel wird von der fernen Zukunft „in tausend Jahren" gesprochen. Die unterschiedlichen Zeitebenen vermitteln den Eindruck eines historischen Prozesses, in dem Intoleranz allmählich überwunden werden kann. Am Schluss steht die Utopie ei-
40 ner Versöhnung aller.

„Nathan" kann als Entwurf einer von der Vorsehung geordneten Welt gelten. Die Diskrepanz zwischen historischer Wirklichkeit und geschichtsphilosophischem Ziel zu überwinden, das ist die Aufgabe des Menschen.

Aus Lessings Überzeugung wird deutlich, dass sich in der Aktivität des Menschen ein göttlicher Weltplan erfüllt. Am Anfang des Stückes stehen sich drei Parteien gegenüber: Nathan und Recha, der Tempelherr, Sittah und Saladin.

Am Ende steht die Versöhnung aller im Bild der Familie. Die Handlung entwickelt sich als eine Zusammenführung einer Familiengemeinschaft, die über die drei Religionen hinausragt.

Im Modell der Familie ist der sozial-ethische Gehalt des Stückes erkennbar. Erkennbar wird auch seine Herkunft aus der Tradition der christlichen Sozialvorstellungen, in deren Zentrum die Familie steht. Das Bild der Familie trägt die Erinnerung an den verlorenen Zustand des Heils in sich und die Hoffnung, diesen Zustand wiederzugewinnen. Der symbolische Charakter der „stummen Wiederholungen allseitiger Umarmungen" am Schluss des Stückes verlangt die Deutung eines geschichtsphilosophischen Entwurfs und verweigert sich der Deutung des Dramas als bloßes Familienstück.

Die rein faktischen Beziehungen, die als Vorgeschichte der Handlung vorausgesetzt werden – die Rettung Rechas, die Begnadigung des Tempelherrn, die Annahme Rechas als Nathans Tochter –, sind nicht ohne Weiteres moralisch wertvoll, sie werden im Verlaufe des Stückes durch freundschaftliche Beziehungen abgelöst. Nur der Patriarch wird nicht zum Freund. Der Wandel wird ermöglicht durch die Bereitschaft und Fähigkeit aller zum Gespräch. Die Gespräche sind als wörtlich genommene Aufklärung ein konstituierendes Merkmal der Utopie Lessings. Wenn Nathan es im Gespräch mit seiner Tochter (I.2) gelingt, ihren Wahnglauben, von einem Engel gerettet zu sein, zu zerstören und ihr die Einsicht zu vermitteln, dass wahre Wunder der Menschlichkeit alltäglich werden können, dann weist dieses Gespräch der Verständigung den Weg zum Verstehen und zur Versöhnung aller. Oder in dem Gespräch Nathans mit dem Tempelherrn (II.5) ist der Be-

ginn noch mit sozialen und religiösen Vorurteilen des Ritters gegenüber dem reichen Juden Nathan besetzt. Der Tempelherr will nichts mit Nathan und dem Judenmädchen zu tun haben. Nathan durchbricht das Vorurteil,
5 indem er zuerst auf der geschäftlichen Ebene argumentiert („Ich bin ein reicher Mann. – Der reiche Jude war mir nie der bessere Jude"), dann in das Persönliche übergeht und auf die gemeinsame Möglichkeit aller Menschen, gut zu sein, hinweist („Ich weiß, wie gute Menschen den-
10 ken, weiß, dass alle Länder gute Menschen tragen"). Er beruft sich dabei auf Erfahrung und fordert dreierlei: „nicht makeln, sich vertragen, sich nicht vermessen". Die gleiche Erfahrung von Intoleranz in der historischen Situation beider führt zur Einsicht in die Notwendigkeit religiö-
15 ser Toleranz.
Am ausgeprägtesten ist die Utopie der Verständigung in dem Gespräch zwischen Nathan und Saladin (III.4,5), in die die Ringparabel eingebettet ist. Wenn auch Saladin von Nathan Geld will, um seiner Großherzigkeit frönen zu
20 können, so nimmt Nathan den Vorwand Saladins, die Frage nach der wahren Religion, auf, hebt das Gespräch in die öffentliche Diskussion („Ach, möge doch die ganze Welt uns hören") und entwirft mit der Ringparabel ein Denkmodell, das keinen einfachen Vernunftschluss erlaubt. Er
25 vermeidet es, Vernunftgründe für eine der drei Religionen anzuführen. Er rekonstruiert in Anlehnung an die Parabel Boccaccios im „Decamerone" die Geschichte der drei Ringe, doch enthält die Rekonstruktion Ungewissheit: Der Richter fällt keinen Spruch, sondern gibt einen Rat, und am
30 Ende muss der Richter auf jenen Richter verweisen, dessen Wahrheit auch er nicht kennt. Doch kann der zeitliche Richter seinen Rat als Prinzip des menschlichen Zusammenlebens erheben. Dieses wird durch den Glauben erreicht, dass durch die Vorsehung die Menschen und ihr
35 sittliches Streben auf eine höhere Stufe der Vollkommenheit geführt werden. Das persönlich verantwortete Handeln des Menschen ist nach dem Rat des Richters eine notwendige Voraussetzung für diese Entwicklung. Damit wird die Utopie Verpflichtung für menschliches Handeln im
40 Ablauf der Geschichte.

Der Gedanke von der Verwirklichung des Guten um des
Guten willen verbindet die Parabel mit der theoretischen
Schrift „Die Erziehung des Menschengeschlechts". Sie hat
trotz der apodiktisch erscheinenden Paragrapheneinteilung
etwas Dialogisches. Stellenweise wird ein Du angeredet. 5
Der religiöse Weg der Menschheit wird als ein Erziehungs-
plan Gottes angesehen. Die historischen Offenbarungsreli-
gionen werden nun statt in der Gleichzeitigkeit in ihrer
Aufeinanderfolge gesehen, die schließlich in einer Zeit des
„ewigen Evangeliums" gipfeln, d. h. in einer religiösen Ver- 10
nunft, in der das Gute um des Guten willen getan wird.
Nathans Vorstellungen von einer besseren Welt bestimmen auch sein Handeln. Er stellt freiwillig sein Eigentum
dem Sultan zur Verfügung (vgl. III.7, IV.3). Und doch bringt
Lessing dem Zuschauer auch ins Bewusstsein, dass Besitz 15
Gut-Sein verhindern kann. Nathan warnt selbst vor Wu-
chergeschäften, aber vor allem relativiert Al Hafi die Utopie. Al Hafi kann als „Kerl im Staat" nicht mehr als
„Mensch" und „Freund" fühlen, er ist entschlossen, nicht
„anderer Sklave" zu sein, und wandert aus, geht an den 20
Ganges, wo er meint, sich selbst leben zu können. Der
frühzeitige Abgang Al Hafis (II.9) lässt erkennen, dass Lessing von der Isolation, der Flucht nicht viel hält, dass er
Selbstverwirklichung in sozialer Verantwortung im „Nathan" darzustellen versucht. Aber die Gestalt Al Hafis 25
machte dem Theaterpublikum des 18. Jahrhunderts auch
bewusst, dass eine Diskrepanz besteht zwischen den öko-
nomischen Bedingungen der wirklichen Welt und seinem
Entwurf von einer besseren. Wenn auch das Geld, der Besitz Nathan nicht daran hindern, gut zu sein – Al Hafis 30
Flucht kann er nicht verhindern. In der Vereinigung aller
am Schluss fehlt Al Hafi.

Aus: Theo Herold, Hildegard Wittenberg. Geschichte der deutschen Literatur.
Aufklärung, Sturm und Drang. Klett Verlag, Stuttgart 1983, S. 80–85 (gekürzt)

7. Eine Szene analysieren – Tipps und Techniken

Ein gewichtiger Teil der Arbeit an dem Drama wird für Sie darin bestehen, einzelne Szenen zu analysieren, d. h. zu beschreiben und zu deuten, und die Ergebnisse in einem Text zusammenzufassen. Im Folgenden erhalten Sie einige Tipps,
5 wie Sie dabei sinnvoll vorgehen können und wie eine Textanalyse aufgebaut werden kann.

1. Vorarbeiten

Lesen Sie die entsprechende Textstelle sorgfältig durch und markieren Sie alle Auffälligkeiten, z. B. sprachliche Be-
10 sonderheiten, Bezüge zu Textstellen, die Sie bereits bearbeitet haben, mögliche Untersuchungsgesichtspunkte, Deutungsansätze. Markieren Sie nach Möglichkeit mit unterschiedlichen Farben oder unterschiedlichen Unterstreichungen (durchgezogene Linie, Wellenlinie, gestrichelte
15 Linie ...).

2. Auswahl einer geeigneten Analysemethode

Texte können auf unterschiedliche Weise analysiert werden, im Wesentlichen geht es dabei um zwei Methoden:

---

a) Die Linearanalyse:

20 Der Text wird von oben nach unten bzw. vom Beginn bis zum Ende bearbeitet. Dabei geht man nicht Satz für Satz vor, sondern kennzeichnet zunächst den Aufbau des Textes und bearbeitet die einzelnen Abschnitte nacheinander. Der Vorteil dieser Methode besteht da-
25 rin, dass ein Text sehr detailliert und genau bearbeitet wird. Vor allem bei kürzeren Auszügen ist diese Analysemethode zu empfehlen.

Mann kann sich jedoch auch im Detail verlieren und die eigentlichen Deutungsschwerpunkte zu sehr in
30 den Hintergrund drängen und den Zusammenhang aus dem Auge verlieren, wenn man zu kleinschrittig vorgeht.

---

b) Die aspektgeleitete Analyse:

Der Schreiber bzw. die Schreiberin legt vorab bestimmte Untersuchungsaspekte fest und arbeitet diese
nacheinander am Text ab. Der Vorteil dieser Methode besteht darin, dass der eigene Text einen klaren   5
Aufbau erhält und der Leser/die Leserin von Beginn an
auf die Untersuchungsaspekte hingewiesen werden
kann.
Ein Nachteil kann darin bestehen, dass einige Deutungs-
aspekte, die als nicht so gewichtig angesehen werden,   10
unter den Tisch fallen.

3. Der Aufbau einer Linearanalyse

1. Einleitung: Hinweise auf den Text geben, aus dem die
   Szene stammt; evtl. über den historischen
   Hintergrund informieren; Ort, Zeit und Per-   15
   sonen der zu behandelnden Szene angeben,
   kurze Inhaltsübersicht darbieten
2. Einordnung der Szene in den inhaltlichen Zusammenhang (Was geschieht vorher, was nachher?)
3. Zusammenfassende Aussagen zum inhaltlichen Aufbau,   20
   zu den Textabschnitten (kann auch in den folgenden Teil
   einfließen)
4. Genaue Beschreibung und Deutung der Textabschnitte
   – Aussage zum Inhalt des jeweiligen Abschnitts
   – Aussagen zur Deutung, evtl. auch Einordnung der   25
     Deutungen in den Gesamtzusammenhang des Dra-
     mas (s. auch Schlussteil)
   – Aussagen zur sprachlichen Gestaltung als Beleg für
     die Deutungen
   – Überleitung zum nächsten Textabschnitt   30
5. Schlussteil: Zusammenfassung der Analyseergebnisse,
   Einordnung der Analyseergebnisse in den
   Gesamtzusammenhang des Dramas und in
   den zeitgeschichtlichen Hintergrund (falls
   nicht im Rahmen der Linearanalyse erfolgt),   35
   persönliche Wertungen ...

4. Der Aufbau einer aspektgeleiteten Analyse

Die zuvor aufgelisteten Punkte 1., 2. und 5. gelten auch für
diese Analysemethode. Es ändern sich die Punkte 3. und 4.:

3. Kennzeichnung der Aspekte im Überblick, die im Fol-
5 genden detailliert am Text untersucht werden sollen
4. Analyse des Textes entsprechend den zuvor genannten
   Schwerpunkten
   – Nennen des Untersuchungsaspekts
   – Kennzeichnung des inhaltlichen Zusammenhangs, in
10   dem er relevant ist
   – Aussagen zur Deutung
   – Aussagen zur sprachlichen Gestaltung als Beleg für
     die Deutungen

5. Auch das sind wichtige Tipps für eine Szenen-
15 analyse

- Vergessen Sie bei dramatischen Texten nicht, die Regie-
  anweisungen in die Analyse einzubeziehen.
- Beachten Sie, wie die Dialogpartner miteinander sprechen, welche Gesten sie vollführen und welche Bezie-
20 hung sie zueinander verdeutlichen.
- Belegen Sie Ihre Deutungsaussagen mit dem Wortmate-
  rial des Textes. Verweisen Sie entweder auf sprachliche
  Besonderheiten oder arbeiten Sie mit Zitaten.
- Bauen Sie Zitate korrekt in Ihren eigenen Satzbau ein
25 oder arbeiten Sie mit Redeeinleitungen. Vergessen Sie
  nicht, die Fundstelle anzugeben. Beispiel: Mit dem Aus-
  ruf „Er ist es! Nathan!" (V. 1) verdeutlicht der Autor die
  Ungeduld, mit der Daja auf Nathan gewartet hat.
  Überrascht stellt Nathan die Frage: „Doch warum end-
30 lich?" (V. 3).
- Verwenden Sie für die Beschreibung des Wortmaterials
  die entsprechenden Fachausdrücke (Wortarten, Satz-
  glieder, rhetorische Figuren ...)
- Schreiben Sie im Zusammenhang. Verlieren Sie den „ro-
35 ten Faden" nicht aus dem Auge. Folgt ein neuer Gesichts-
  punkt, formulieren Sie nach Möglichkeit eine Überleitung.
- Machen Sie die gedankliche Gliederung Ihres Textes
  auch äußerlich durch Absätze deutlich.

8. Wichtige rhetorische Figuren

rhetorische Figur	Erklärung	Beispiel
Alliteration	Zwei oder mehrere Wörter in unmittelbarer Nähe beginnen mit demselben betonten Anlaut.	„Nur muss der Knorr den Knuppen hübsch vertragen." (V.1284)
Anapher	Mehrere Zeilen oder Sätze beginnen mit demselben Wort.	„Nur muss der eine nicht den andern mäkeln. Nur muss der Knorr den Knuppen hübsch vertragen. Nur muss ein Gipfelchen sich nicht vermessen, ..." (V. 1283 – 1285)
Antithese, Antitheton	Gegensätzliche Begriffe oder Gedanken werden gegenübergestellt.	„Groß und abscheulich" (1221)
Asyndeton	Wörter oder Wortgruppen stehen unverbunden nebeneinander.	Frisch, fromm, fröhlich, frei
Bild	Dieser Begriff fasst die Ausdrucksweisen bildhaften, übertragenen Sprechens zusammen: Symbol, Metapher, Personifikation ...	
Chiasmus	Jeweils zwei Wörter werden kreuzweise gegenübergestellt.	Heiß ist die Sonne, der Mond jedoch kalt.

rheto-rische Figur	Erklärung	Beispiel
Correctio	Ein Sprecher oder eine Sprecherin be-richtigt sich während des Vortrages selbst.	„Sie sehn, und der Entschluss, sie wie-der aus Den Augen nie zu lassen. – Was Entschluss? Ent-schluss ist Vorsatz, Tat: und ich, ich litt, ...“ (2121–2123)
Ellipse	Darunter versteht man einen Satz, der nicht vollständig ist.	„Wie das? – Ah, fast errat ich's. Nicht? Ihr seid ...“ (V. 1205)
Euphemis-mus	Das Negative eines Sachverhalts wird durch positive Be-zeichnungen verhüllt oder beschönigt.	Nuklearer Ernstfall statt Atomkatastro-phe
Hyperbel	Übertreibung, Über-steigerung	Das habe ich dir schon tausendmal gesagt.
Inversion	Die übliche Wortfolge wird verändert.	Nicht für erforderlich aber hält man es ...
Ironie	Der Sprecher, die Sprecherin meint das Gegenteil des Gesagten.	„Welch ein Patriarch! – Ja so! Der liebe tapfre Mann will mich zu keinem Gemeinen Boten; will mich – zum Spion.“ (V 649–651)
Klimax	Eine Reihe von Aus-drücken wird in steigender Anordnung gebraucht.	„Der Jude wird ver-brannt... Ja, wär allein schon dieserwegen wert, dreimal ver-brannt Zu werden!“ (V. 2559–2561)

rhetorische Figur	Erklärung	Beispiel
Litotes	Die Bedeutung eines Sachverhaltes wird durch die Verneinung seines Gegenteils gesteigert.	Er war nicht gerade der geborene Schauspieler.
Metapher	Ein Wort wird aus den Bedeutungszusammenhängen des vertrauten Sprachgebrauchs gelöst und in andere Zusammenhänge so eingeordnet, dass es eine neue Bedeutung erhält.	„Die Schale kann nur bitter sein: der Kern Ist's sicher nicht. – " (V. 1197 – 1198)
Parallelismus	In aufeinanderfolgenden Sätzen werden die Satzglieder in gleicher Weise angeordnet.	„Nur muss der eine nicht den andern mäkeln. Nur muss der Knorr den Knuppen hübsch vertragen. Nur muss ein Gipfelchen sich nicht vermessen, ..." (V. 1283 – 1285)
Personifikation	Abstrakten Begriffen, unbelebten Erscheinungen, Tieren und Pflanzen werden Eigenschaften oder Verhaltensweisen zugeordnet, die nur Personen zukommen.	Die Sonne lacht. „Nur muss ein Gipfelchen sich nicht vermessen, Dass es allein der Erde nicht entschossen." (V. 1285 – 1286)
Rhetorische Frage	Ein Sprecher/eine Sprecherin setzt durch eine Schein-	„Wir haben beide uns unser Volk nicht auserlesen. Sind Wir

rhetorische Figur	Erklärung	Beispiel
	frage, die eine nachdrückliche Aussage enthält, die Zustimmung des Zuhörers als gegeben voraus. Eine Antwort wird nicht erwartet.	unser Volk? Was heißt denn Volk? Sind Christ und Jude eher Christ und Jude, Als Mensch?" (V. 1307–1311)
Symbol	Ein konkreter Gegenstand wird als Träger eines allgemeinen Sinnzusammenhangs gesetzt.	Das Kreuz als Zeichen des Christentums, Farbsymbole wie grün (Hoffnung), weiß (Unschuld) ...
Vergleich	Durch wie, sowie, als ob u. Ä. wird eine Beziehung zwischen zwei Bereichen hergestellt, zwischen denen eine Gemeinsamkeit besteht.	Der Wald war still wie ein Friedhof.
Wortwiederholung	Wiederholungen einzelner oder mehrerer Wörter in unmittelbarer Nähe.	„Ich trat ihn jeden Tag von Neuem an; Ließ jeden Tag von Neuem mich verhöhnen." (V. 120–121)
Zeugma	Gleiche Satzglieder werden syntaktisch richtig miteinander verbunden, obwohl sie von der Bedeutung her nicht zusammen passen.	Ich will Blumen und Tränen auf ihr Grab streuen.